RONALD

Ronald

Ronald

La Colección de L. Ronald Hubbard

BRIDGE PUBLICATIONS, INC.
5600 E. Olympic Blvd.
Commerce, California 90022 USA

ISBN 978-1-61177-533-4

Se agradece de manera especial a la L. Ronald Hubbard Library por el permiso para reproducir las fotografías de su colección personal.

Reconocimientos adicionales: pp 4 y 5, 6 Andreas Feininger/Time & Life Pictures/Getty Images; pp. 10 y 11 Tatiana53/ Shutterstock.com; pp. 12 y 13 American Stock Photography; p. 15 National Archives; p. 18 Security Pacific National Bank Collection/Los Angeles Public Library; p. 20 Jim Daly Photography Studio; p. 23 Amy Toensing/Getty Images; p. 34 New York Public Library; pp. 48, 91 © Earl Theisen/Roxann Livingston; p. 49 Gene Lester/Getty Images; p. 55 Library of Congress, Prints & Photographs Division, LC-DIG-ggbain-01672; p. 58 Gene Lester/Hulton Archive/Getty Images; pp. 66 y 67 Frescomovie/ Shutterstock.com; p. 69 Alexkar08/Shutterstock.com; p. 70 Los Angeles Public Library; p. 78 Yory Frenklakh/Shutterstock. com; pp. 84 y 85 R- studio/Shutterstock.com; p. 89 University of California Los Angeles; pp. 92, 93 Missouri Valley Special Collections, Kansas City Public Library, Kansas City, Missouri; pp. 94 y 95 Archive Photo/Getty Images; p. 105 Getty Images; pp. 110 y 111 Fox Photos/Getty Images; pp. 118 y 119 Peter Stackpole/Getty Images.

Carta del editor p. 35; ilustraciónn, carta del editor y carta para el editor pp. 37-40; ilustración p. 44; ilustración p. 45: Astounding Science Fiction copyright © by Street & Smith Publications, Inc. Reprinted with permission of Penny Publications, LLC.

La carta de John W. Campbell, hijo, del 23 de diciembre de 1949 que aparece en las pp. 24 y 25 está reproducida con permiso de AC Projects, Inc.

La carta de Robert A. Heinlein del 17 de abril de 1950 aparece en la p. 53 cortesía de University of California, Santa Cruz.

Dianetics Letters & Journals—Spanish Latam

La Colección de L. Ronald Hubbard

DIANÉTICA
LAS CARTAS
Y DIARIOS

Bridge

PUBLICATIONS, INC.®

CONTENIDO

By JOHN CLARKE
(Daily News Staff Writer)

STATE OF MISSOURI

E HOSPITAL, NO. 3
NEVADA, MISSOURI

SAMUEL MARSH
DIRECTOR
PUBLIC HEALTH AND WELFARE

B. E. RAGLAND
DIRECTOR
DIVISION OF MENTAL DISEASES

20 July 1950

ch Foundation Inc.

d two more names to the list of those who
d the institute for training in Dianetics?
to be considered when training is started.

t clear, nor for that matter do we have
ade progress with each other. I have
one patient and have made progress with
e I am doing little else.)

a F. Lamoreaux,R.N.,knows a good deal of
ough she tended to fight with it before,
She lacks but a years residence for her

INDEPENDENT NEWSPAPER FOR INDEPENDENT PEOPLE

king U.S. by storm

Dear Friend:

L. Ron Hubbard will make
Los Angeles at a Dianetic meet
Auditorium, Thursday at 8 P.M.
is president of the Hubbard Di

Foundation schedule course
direction of Mr. Hubbard on Aug

An Associate Membership in
individuals interested in Dianet
receives, through the bulletin i
of new developments in Dianetics
house for Dianetic data. The memb
annually.

Discussion groups and Diane
lished in the Los Angeles area. T
for a splendid piece of pioneerin

With Dianetics as a swiftly
discoveries and improved technique
methods that have been verified by
These will be demonstrated at the
The Los Angeles Department is like
emphasize Research as well as trai

Sloane 4972

Dear Mr. Hubbard,

I know every minute of your t
had to write – propitiation or not
I think you have given to the work
whether postulated or not, as few
reading your book DIANETICS was l
perplexities, resolved for me for
mind, but one who was eager to he
it happened to me when I was alme
with the inadequacy of words, an
always known that I know', you w
interpret my sincere thank you.
needed you, and will one day adm
can!

After DIANETICS, I joined
stout body of some 50 to 80 pe
crowded island! – and our aim
on. And that is a source of i
so few, and those few are not
simplest cases. I studied ev
wholeheartedly that "the pre-
etc.etc." Yes, auditors alti
important, and there is no on
mind, my reactive mind that
my straight memory is indee
determined on such a life a
from birth up, few could ha

That being so, I went
and Self Analysis, but I fin
my mind, that somehow, in s
difficulties

SEARCH FOUNDATION

024, LA.S
7-3194

July 26, 1950

his first public appearance in
ing to be held in the Shrine
, August 10, 1950. Mr. Hubbard
ianetic Research Foundation.

ses will open under the personal
ugust 14, 1950.

in the Foundation is open to
anetics. An Associate Member
n issued periodically, informatio
tics, which will act as a clearing
e membership is fifteen dollars

Dianetic clubs already are estab-
ea. They are to be congratulated
oneering work.

wiftly advancing science, new
the new precisio

At last — A True Science of the Mind

DIANETICS

The Modern Science of Mental Health
A HANDBOOK OF MODERN THERAPY

By L. RON HUBBARD

This book reveals the results of fifteen years of study and research on the working of the
human mind. Tackling the problem by the scientific method, the author has discovered
what he believes to be the source of all mental and psychosomatic ills, and has developed
a technique of Dianetic Therapy that has worked successfully for every one of the two
hundred and seventy unselected cases treated and tested.

Dianetics offers this totally new therapeutic technique with which physicians, psychiatrists,
psychoanalysts, and others, can treat inorganic mental and organic psychosomatic ills.
Sufficient details are presented so that any experimenter can duplicate and check the validity
of the theories and postulates of Dianetics.

The author and his associates invite the testing by modern medical and scientific workers,
using standard scientific methods, of any one and all of the claims made in this book.
Dianetics also contains circuit graphs by Donald H. Rogers, an evaluation of philosophic
method by Will Durant, and a statement of scientific method by John W. Campbell,
nuclear physicist and author of *The Atomic Story.*   **$4.00**

PSYCHOANALYSIS:
EVOLUTION AND DEVELOPMENT
A Review of Theory and Therapy

By CLARA THOMPSON, M.D.
With the collaboration of PATRICK MULLAHY

Use coupon to order your books today.

"I strongly recommend Psychoanalysis: Evolution and Development by
Clara Thompson to all readers of
A S F. It is a clear, definite and
interesting account of the problems
and developments of psychoanalysis."

Angeles Times SUNDAY, Ju

BEST SE

OS ANGELES
es records of Broadway,
Campbell's, Fowler
y Co, and Robinson's.)

"Dia
"LookY
Hau
"Courtr

Nota Introductoria

Del gran conjunto de Archivos de L. Ronald Hubbard viene una colección de cartas personales y diarios autobiográficos altamente esclarecedores. En total, estos materiales abarcan la totalidad de la vida de L. Ronald Hubbard, desde sus primeros pasos extraordinarios de aventura y descubrimiento, hasta su triunfo final que fue la fundación de Dianética y Scientology. En consecuencia (y aunque no representan más que una pequeña fracción de sus materiales de archivo), estos documentos permiten sumergirse en las profundidades y detalles exquisitos de una vida muy extraordinaria. Por lo tanto, aquí se presenta esta edición especial suplementaria como parte de la más amplia Colección de L. Ronald Hubbard: Las Cartas y Diarios de L. Ronald Hubbard.

Las Cartas de Dianética:
Una Introducción

"TODO EMPEZÓ –EXPLICÓ L. RONALD HUBBARD– CUANDO publiqué por primera vez doce años de investigación independiente en el campo de la mente". Lo que siguió es, por supuesto, todo lo que ahora conocemos como la revelación de Dianética, y todo lo que ese tema representa como fuerza global para la mejora del hombre. Pero si ya se ha

contado la historia general de ese movimiento —de cómo L. Ronald Hubbard llegó a desencadenar *Dianética: La Ciencia Moderna de la Salud Mental,* cómo ese libro cautivó a Estados Unidos a lo largo del verano de 1950 y posteriormente se convirtió en el texto de autoayuda más popular en la historia editorial— aún queda la historia desde el punto de vista del ojo de ese huracán. Es decir, aquí está la correspondencia de L. Ronald Hubbard desde el advenimiento de un descubrimiento que cambió para siempre nuestra concepción de quiénes somos y de qué somos capaces como seres humanos.

Las cartas adjuntas abarcan seis de los años cruciales dispuestos entre el desarrollo de Dianética como un método funcional de auto-descubrimiento y la utilización de ese método a través de tres continentes. Aunque no sea absolutamente necesario para una apreciación de lo que presentamos en las siguientes páginas, aportemos alguna información

acerca del tema en sí. En primer lugar, describamos a Dianética como una verdadera *tecnología* de la mente, un método de sondeo de esa "vasta y hasta ahora desconocida región que se encuentra a un centímetro detrás de nuestras frentes". En segundo lugar, comprendamos que Dianética es una práctica completamente precisa y de ninguna manera similar a la introspección inútil de la escuela de la Gestalt o a la divagación incoherente del psicoanalista. Por el contrario, la auditación de Dianética es un "remontamiento de la experiencia" de la máxima exactitud para aliviar la fuente de todos los males psicosomáticos y del comportamiento aberrado. O como el propio Ronald la define: "Dianética es la ruta desde el ser humano aberrado (o aberrado y enfermo) hasta un ser humano capaz". Finalmente, entendamos que Dianética funciona y que los milagros a los que se alude a lo largo de las páginas de estas cartas son tan reales como rutinarios,

"Todo empezó cuando publiqué por primera vez doce años de investigación…" —LRH, Elizabeth, Nueva Jersey, 1950

Dianetics

The greek letter Delta is the basic form. Green for growth, yellow for life.

The four stripes represent the four dynamics of Dianetics, Survival as I self, II sex and family, III group and IV Mankind.

This symbol was designed and used since 1950.

Dianética
La letra griega Delta es la forma básica. El verde representa crecimiento, el amarillo la vida. "Las cuatro franjas representan las *cuatro* dinámicas de Dianética. Supervivencia I como uno mismo, II sexo y familia, III grupo y IV Humanidad. "Este símbolo fue diseñado y usado desde 1950".

El símbolo
original de
Dianética

por ejemplo: "Una niña pequeña postrada en la cama durante doce años ahora está caminando después de sólo cinco horas de auditación".

Sin embargo, el tema principal de estas cartas no es ni Dianética como una tecnología para hacer milagros ni el movimiento global que esos milagros finalmente inspiraron. El tema aquí es, más bien, el mismo L. Ronald Hubbard —desde su primer y audaz paso dentro de ese inframundo, que una vez estuvo prohibido, del pensamiento humano hasta el perfeccionamiento de métodos, técnicas y nomenclatura ("un producto secundario de la redefinición del carácter de la mente, y del estudio de la causalidad y efectividad exactas de los traumas"). Además, aquí tenemos la primera explicación formal publicada de Dianética como apareció en *The Explorers Journal (El Diario de los Exploradores)* acertadamente titulada *Terra Incognita: La Mente* y proporcionando toda la teoría básica de Dianética. (En cuanto a la respuesta, tenemos la redefinición de exploración por parte del Club para incluir aquel paso hacia lo desconocido detrás de la frente humana). Luego también tenemos a L. Ronald Hubbard en Nueva Jersey, donde nació Dianética y donde "el mar está justo delante de mi puerta, pero se mantiene a raya y nunca realmente constituye una molestia". También lo tenemos en el sitio de las primeras conferencias públicas, donde se vio obligado a informar a su casero: "Por suerte para mí, si bien por desgracia para usted, tengo un libro en la lista de best sellers. El volumen de tráfico no se puede parar".

Vinculadas adicionalmente a esta historia están aquellas cartas relativas al igualmente extraordinario contraataque del codicioso grupo dominante psiquiátrico, y lo que siguió a aquel ataque en Wichita, Kansas, alrededor de 1952. Posteriormente, le tenemos con colegas, asociados y amigos de tiempo atrás como el maestro de ciencia ficción Robert Heinlein. También tenemos a un maravillosamente irascible autor, inventor y ocasionalmente granjero llamado Russel Hays. Y si el L. Ronald Hubbard de estas cartas, en privado, es finalmente el mismo L. Ronald Hubbard, en público, aquí lo es incluso más: "No soy Dios ni un ángel. Soy simplemente un tipo más. Pero soy un tipo que tiene un deber y un tipo que, entre todos estos, está particularmente capacitado para llevarlo a cabo".

A las primeras alusiones de Ronald sobre "esta investigación sobre la mente", incluimos adicionalmente su comunicado formal a los círculos psicológicos y varias notas menos formales de las primeras Fundaciones de Investigación de Dianética. También se incluyen selecciones de la avalancha de respuestas a la publicación del Libro Uno, y correspondencia del lugar de nacimiento de esa obra, Bay Head, Nueva Jersey. Luego ofrecemos un desafío muy significativo de LRH a los círculos psiquiátricos —un desafío a lograr resultados que ningún psiquiatra aceptaría.

Pero recordando que esta historia es al final de cuentas una de descubrimiento y triunfo, presentemos estas cartas como el mismo LRH presentó este tema hace casi medio siglo: "Estás empezando una aventura. Trátala como una aventura. Y que nunca vuelvas a ser el mismo". ■

CAPÍTULO UNO

Carta de un ESTIBADOR

Carta de un
Estibador

NTRE LOS MÁS DE TRESCIENTOS PACIENTES QUE ESTABAN recibiendo procesamiento temprano de Dianética a través del curso de la investigación de LRH anterior a la publicación de *Dianética* estaba un estibador de Nueva York particularmente enfermo llamado Dennis Rittwager. Si bien la historia es famosa —Ronald mismo hace comentarios sobre el caso en conferencias posteriores— la crucial carta sólo salió a la luz recientemente entre pilas de correspondencia de esa primavera de 1950. Al informe de Ronald sobre el escenario, y a la propia carta muy explícita del estibador podemos agregar algunos detalles:

Habiendo llegado a Manhattan algunas semanas antes, Ronald se dirigió hacia Hell's Kitchen, al departamento del célebre retratista Hubert "Matty" Mathieu ("un buen amigo, marcado por una juventud en la Ribera Occidental del río Sena y que pintaba viudas de la alta sociedad en la Escuela de Bellas Artes en su madurez", como explica LRH en su boletín sumamente celebrado *ARTE*). Allí, una cena bastante tradicional de Día de Acción de Gracias comenzó con jerez helado como preludio al pavo. Para los menos prósperos vecinos, los Rittwager, sin embargo, esa víspera del Día de Acción de Gracias de 1946 tuvo un menú muy diferente.

Como dos notas complementarias: aunque las inyecciones de penicilina (para entonces fácilmente disponibles sin receta) son generalmente suficientes para detener la extensión de una infección gangrenosa, el tejido gravemente afectado normalmente requiere amputación. Se vuelve aún más trascendente entonces, que Rittwager ni siquiera perdió un dedo del pie después del uso de Dianética para el alivio de pesar enquistado emocionalmente, es decir: "lloraba mientras me contaba cómo había comprado una pequeña granja...". ▪

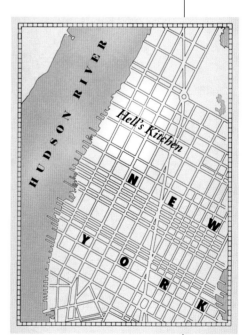

HOTEL BELVEDERE
319 WEST 48th STREET · NEW YORK 19, N.Y.
TELEPHONE CIrcle 6-9100

26 de noviembre

Llegué demasiado temprano, pero pasé el fin de semana con Matty, luego me mudé a un agradable cuarto —en este hotel— el domingo por la noche. Pero pasé el lunes con John Campbell; me quedé allí toda la noche. Aun teniendo este cuarto. Luego esta noche con Matty.

Matty quiere que escriba una columna que él ilustraría. Uno de esos proyectos de tal vez... También hay algunas personas que quieren una nueva revista y Matty y yo tenemos una reunión con ellas mañana a las 4. Se me ha pedido que plantee su presentación y su política editorial... Luego Matty tiene una escuela de arte en proyecto, pero yo no estoy muy interesado, aunque esa gente quiere que enseñe redacción. Una idea demasiado vaga; demasiado ordinaria...

Esta noche tuve una aventura. Mat fue a la casa contigua y ahí yacía un hombre casi muerto a causa de un pie infectado. El pie estaba negro e hinchado al doble de su tamaño, tenía una bola de fuego en la ingle, vetas rojas y fiebre alta. Salí para conseguirle sulfamida, pero en su lugar compré penicilina. Inyecciones de 33,000 unidades. Esto fue alrededor de las seis, la primera inyección fue a las siete. Le enseñe a la esposa cómo inyectarle, y luego volví para supervisar las inyecciones de las 10:00 p.m. y las de la 01:00 A.M. La fiebre cedió antes de la 1:00, pero todavía estoy preguntándome si salvará ese pie. Todo el lugar tiene el olor dulzón de la gangrena. Él es un tipo pobre e insensato. La inmundicia, como aquella en la que se encontraba rodeado, es común en departamentos en el Este de Estados Unidos. Cinco niños y una esposa acosados por la suciedad y la desnutrición. Niños comiendo porquería de las alcantarillas. Alojamientos de mal gusto, sin ventilación. La enfermedad interrumpe los empleos. Y habían planeado unas Navidades estupendas, pues para variar él estaba trabajando. Y luego el sábado una clínica llamó "pie de atleta" a la septicemia, y ahí entre edredones revueltos y mugrientos en un cuarto sucio y sombrío donde lloran unos niños hambrientos y medio enfermos, un hombre yace muriéndose, un hombrecillo feo, castigado por el catolicismo, el capitalismo y la ignorancia. Y él lloraba mientras me contaba cómo había comprado una pequeña granja por 800 dólares y cuánto quería que su esposa, a quien le desagradaba la ciudad, fuera feliz allá. Un hombre que había pasado mucha hambre y había trabajado como un esclavo hasta los cuarenta y tres años, y que ahora no tenía nada.

A la 1:00 su pie se veía aún más negro, pero la fiebre había cedido. Yo no confié en ningún doctor ni en ningún hospital: conozco Nueva York. Espero que mañana, Dios me oiga, esté bien. Habrá ocurrido un milagro...

Ronald

August 12 1950

My Dear Doc,

Just a line to express my thanks to you, also to let you know that I have not forgotten what you did by saving my Life. If you did not happen to be in the neighborhood at the time I would not be here today to say God Bless you and that you achieve what you set out to do for mankind. And may God give you a long Life in which to achieve the things you Plan. Doc from the bottom of my Heart

Mi Querido Doctor: Sólo una nota para expresarle mi agradecimiento, y también para hacerle saber que no he olvidado lo que usted hizo salvándome la vida. De no haber estado usted por este vecindario en ese momento, no estaría yo aquí para decir que Dios le bendiga y que logre lo que usted pretende hacer para la humanidad. Y que Dios le dé una larga vida en la cual logre las cosas que tiene planeadas. Doctor, de todo corazón de nuevo digo que Dios le bendiga y un millón de gracias.

again I say God Bless you and
Thanks a Million.
Doc, they were all ready to cut
the leg off, but it is Fine Now.
Thanks to you that is all
I can say.
        I remain respectfully yours
the Man who's Life you saved
in Hells Kitchen 3 years ago.

                    Dennis Rittwager
                    433 West 48 St.
                    New York City

Doctor, ya estaban listos para amputar la pierna, pero ahora está muy bien. Gracias a usted eso es todo
lo que puedo decir.
Quedo su humilde servidor, el hombre cuya vida salvó en Hell´s Kitchen hace 3 años.

Dennis Rittwager
433 West 48 St.
Nueva York

La costa de Jersey, alrededor de 1950

CAPÍTULO DOS

Cartas del
ALBOR DE DIANÉTICA

Cartas del
Albor de Dianética

A QUELLOS QUE ESTÁN FAMILIARIZADOS CON LA VIDA DE L. Ronald Hubbard, según se le ha relatado en esta serie, recordarán repetidas alusiones a la senda de investigación de LRH a lo largo de finales de la década de los cuarenta. Por lo general se mencionan sus estudios de endocrinología en 1945 en un tal Hospital Naval de Oak Knoll

en Oakland, su inspección de la narcosíntesis en 1946 en la Administración de Veteranos de California, su trabajo en 1947 con neuróticos de la comunidad cinematográfica de Hollywood y su tratamiento en 1948 de criminales en un hospital psiquiátrico de Savannah, Georgia. También se han mencionado de modo rutinario la primera descripción formal de Ronald de resultados en una *"Tesis Original"* de amplia circulación, su presentación de los descubrimientos a los dirigentes de las instituciones médicas y psiquiátricas americanas, el rechazo por parte de estos dirigentes y finalmente su redacción de un Manual de Dianética ampliamente accesible, el cual escribió en una casa en una playa de Nueva Jersey. Nunca antes, sin embargo, se había presentado lo que aparece aquí: la correspondencia auténtica de la que extraemos los tantos detalles y colorido que se encuentran en la *Colección de L. Ronald Hubbard*.

Por ejemplo, de la auténtica senda de descubrimiento a través de la cual LRH viajó estos años, llega

su carta más reveladora a Russell Hays. Escritor, inventor y terrateniente; Hays fue de los amigos más íntimos de Ronald durante más de dos décadas. Ambos compartían una duradera fascinación por las culturas primitivas, la aeronáutica, y esa *Terra Incognita* de la mente humana; el tema de esta carta de Ronald.

Además de las antes mencionadas cartas de LRH a las asociaciones americanas de medicina y

psiquiatría, ofrecemos la descripción resumida de Ronald de Dianética a la Sociedad Gerontológica en Baltimore, Maryland. De particular interés —y disponible en ningún otro lugar— es la alusión de Ronald a esa experimentación en Oak Knoll en que ex prisioneros de guerra respondían a la terapia hormonal sólo después de "la eliminación de los traumas tempranos" a través de los procedimientos de Dianética.

Aunque se ha dicho mucho en relación a la publicación del libro de Ronald, *La Evolución de una Ciencia,* por parte del autor-editor John W. Campbell en la revista *Astounding Science Fiction (Ciencia Ficción Asombrosa)* aquí está lo que el mismo Campbell tenía que decir al respecto. Aquí también, J. W. Campbell habla de la próxima publicación de *Dianética: La Ciencia Moderna de la Salud Mental,* y de lo que previó correctamente como el violento contraataque de una comunidad psiquiátrica profundamente viciada.

Finalmente, y como una de las raramente vistas descripciones de LRH del auténtico lugar de nacimiento de *Dianética,* viene una segunda y reveladora nota a Russell Hays desde "los remotos parajes" de Bay Head, Nueva Jersey. ■

Entrega General
El Cajón, California

15 de julio de 1948

Querido Russell:

Pasé por nuestra vieja ciudad natal el otro día y realmente se tendría que escrutar a fondo para notar algún cambio. Boticas, teatro, oficina de correos, tu casa, vagabundos en la playa; y todo parece estar intacto hasta el más mínimo detalle. Iba a parar allí, pero de alguna manera seguí y no pude encontrar los frenos hasta El Cajón.

Me he estado divirtiendo haciendo ver ridículo a Freud. Siempre supe que estaba chiflado, pero no tenía evidencias contundentes. ¿Recuerdas ese libro** que me tenía trastornado hace más o menos diez años? Bueno, lo mantuve sensatamente entre bolas de naftalina como algo que era demasiado candente para manejarlo. Una editorial me ofreció publicarlo hace unos meses y lo saqué y meneé la cabeza ante el mismo... Así que en lugar de eso tomé una pequeña sección de un capítulo y comencé a trabajar en ella y de repente parecía que yo había sido muy tonto hace diez años con respecto a la mente humana —al menos— porque pasé por alto lo que podría extenderse uno en ese campo... Luego comencé con "complejos de inferioridad" y todas las noches tenía a gente retorciéndose en mi oficina de Hollywood, y salían con el doble de estatura de Superman. El trabajo más satisfactorio de todo fue respecto a las alergias y la tartamudez, y estas fueron zanjadas en dos o tres horas por caso. En pocas palabras, aunque no me aventuro a hacer tales declaraciones hasta que le haga un análisis de resistencia completo a este puente, parece que he reducido el psicoanálisis de un trabajo de dos años a uno de alrededor de dos noches.

El indomable Russell Hays

*Escrita con referencia a la obra de 120,000 palabras "Excalibur" que se publicó en 1938 y que incluye los primeros elementos filosóficos que derivaron en la fundación de Dianética.

Aquí y allá me topo con un hipocondríaco mental que está tan enamorado de su mala salud mental que simplemente no puede vivir sin ella. Estoy trabajando en resolver eso ahora.

Esto es un producto secundario de la redefinición del carácter de la mente, y del estudio de la causalidad y efectividad exactas de los traumas.

Un psiquiatra, que prácticamente no puede hacer nada por nadie, usa el psicoanálisis, trabaja dos o tres años con un cliente (no se le puede llamar un paciente porque no se está haciendo gran cosa por él, pero admitiremos que además de ser un tonto *sí* es paciente); trabaja con el cliente al ritmo de cuatro visitas por semana de una hora cada una a un coste de 15 dólares por visita y después de un gasto de 8,000 dólares normalmente maneja unas cuantas aberraciones menores o tal vez una alergia y da de alta a su cliente para futuras referencias. Bien, he estado reduciendo este tipo de cosas hasta un promedio de veinte horas de trabajo para una cura total y un cambio completo de personalidad. A veces lleva hasta cincuenta horas de trabajo, pero la cosa funciona en alrededor del 80% de los pacientes, cuerdos o no...

Con mis mejores deseos,
Ronald

El Cajón, California

Box 1796

Savannah, Ga.

13 de abril de 1949

La Sociedad Gerontológica

Hospital de la Ciudad de Baltimore,

Baltimore, Md.

Señores:

Trabajando en investigación privada he hecho aparentemente ciertos descubrimientos, los cuales parecen indicar que tendrían un efecto definido en la longevidad. Como miembro de la sociedad, les presento un breve resumen.

Estoy acumulando información adicional para salvaguardar este trabajo de un optimismo injustificado, y estoy preparando un documento, del cual les será remitida una copia, con el título de "Ciertos descubrimientos e investigaciones que han dirigido a la eliminación de experiencias traumáticas tempranas, incluyendo intento de aborto, conmoción de nacimiento y enfermedades y accidentes infantiles, con un estudio de sus efectos fisiológicos y psicológicos y de su influencia potencial en la longevidad del individuo adulto, con una relación de las técnicas desarrolladas y empleadas".

Un resumen muy breve de este trabajo se encuentra a continuación: en un esfuerzo para desarrollar un mejor enfoque clínico para el tratamiento de ciertas neurosis y psicosis, para aliviar permanentemente enfermedades psicosomáticas e investigar algunos de los factores de la longevidad, se emprendió una extensa investigación del trabajo inicial de Freud, y se revelaron ciertas premisas. Entre estas, la primera fue la creencia de que la mente inconsciente recordaba la conmoción del nacimiento. La falta de tecnología hizo imposible que Freud prosiguiera ese trabajo en aquella época. Haciendo cambios en las prácticas de la narcosíntesis y combinándola con ciertas técnicas de hipnosis, pero sin emplear ninguna sugestión positiva u otra terapia característica de la hipnosis, se indujo un estado de trance en los pacientes y, con estas técnicas evolucionadas, se les indujo a recordar el trauma del nacimiento. Se examinó una serie de veinte casos. Ocho de los primeros diez recordaron el nacimiento. Se encontró una nueva importancia en la experiencia traumática y se desarrolló un método para quitar por completo los traumas tempranos. Durante la terapia en los diez casos siguientes, en cuatro de los sujetos se encontró que una experiencia traumática precedía al nacimiento, tal como accidentes sufridos por la madre e intentos de aborto, y estos traumas fueron eliminados para alcanzar y aliviar la conmoción del nacimiento. En cada caso tratado la eliminación de los traumas tempranos acarreó una clara mejoría en la salud psicológica y fisiológica del adulto; una eliminación de psicosis y enfermedades psicosomáticas tales como artritis, sinusitis, alergias, asma, úlceras pépticas y dolores de cabeza crónicos, incluyendo una migraña (el único paciente que la sufría).

Un aspecto claro, presente en dieciséis de los veinte casos, fue la reducción de la edad fisiológica del adulto, clínicamente mensurable por medio de pruebas. Otro aspecto fue la aparente nueva efectividad de hormonas, las cuales, en la terapia hormonal previa a este tratamiento, no habían sido efectivas. Adicionalmente, después de la eliminación de los traumas tempranos y una eliminación subsiguiente de otras graves experiencias traumáticas, se encontró que ya no eran tan vitales para el individuo, aunque sí más efectivas. Un tercer aspecto en cuanto a longevidad fue la mejoría de cuatro de estos casos que sufrían problemas cardíacos, los cuales ahora parecen haber sido enfermedades psicosomáticas aunque se les había asignado otras causas: la aceleración del corazón a causa del corte del cordón umbilical había sido reestimulado constantemente por el entorno presente hasta que el corazón estaba en malas condiciones.

En un caso de desarrollo sexual insuficiente, una chica, y la única presente en esta serie de veinte, experimentó la reanudación de actividad glandular sin terapia hormonal, y experimentó un cambio fisiológico hacia normal.

Esta carta puede ser considerada sólo como un informe de un trabajo en marcha, ya que una veintena adicional de casos debe ser estudiada antes de que se llegue a una

Hospital Saint Joseph, Savannah, Georgia

conclusión final y luego, por supuesto, sólo podrá ser provisional, mientras se espera saber de la experiencia de otros investigadores informados de mis descubrimientos. Un documento, como el anteriormente mencionado será publicado al final de la próxima serie. Ustedes tienen permiso, sin embargo, para publicar esta carta siempre y cuando se incluya esta cláusula: no hay ningún peligro en particular involucrado en la práctica de este campo excepto cuando los traumas tempranos se abordan y reestimulan, pero no se eliminan mediante la terapia. En tal situación tan desafortunada uno ve los antecedentes de deterioro fisiológico y psicológico notablemente acelerados, ya que parece posible, según estos estudios, que tal deterioro sea causado por el entorno presente que gradualmente causa la integración inconsciente de los traumas tempranos con su fuerza y su significación psicótica o neurótica: una vez que el entorno reestimula la experiencia traumática temprana, esa experiencia aparentemente permanece reestimulada. De ahí que la reestimulación de un trauma temprano por medio de la terapia, sin ser eliminado, ocasione el deterioro del individuo en mayor o menor grado. Sin embargo, mis conclusiones finales están reservadas hasta, por lo menos, el final de la próxima serie.

Atentamente,
L. Ronald Hubbard

Bay Head, Nueva Jersey

14 de noviembre de 1949

Querido Russell:

Muchas gracias por el repollo de zorrillo. Era justamente lo que yo quería. Nada podría haber sido más dulce. Sin embargo, tu carta dejaba mucho que desear. Si no tenías nada mejor que decir no debiste haber dicho nada en absoluto.

Estoy atrincherado tras una pantalla para vientos muy bonita. Acá tengo ocho habitaciones en que deambular y que contemplar. Si te cansas de los remotos parajes de Kansas estás por la presente invitado a venir y contemplar los remotos parajes de Nueva Jersey.

El mar está justo delante de mi puerta, pero se mantiene a raya y nunca realmente constituye una molestia. Y si lo hace, pues, simplemente nos vamos a ver una película hasta que la casa se haya estabilizado de nuevo sobre sus cimientos.

Ahora mismo hay un par de escritores viviendo aquí. No fueron huéspedes invitados como tú. Simplemente pararon para cenar una noche alrededor del primero de octubre. Sin embargo son material maravilloso para trama narrativa.

Todavía estoy haciendo esta investigación sobre la mente. Los resultados se van a publicar pronto y luego tendré tiempo para hacer alguna cosita en cuanto a cuentos. Estoy trabajando en un guión de cine, pero eso es más o menos todo en este momento.

Quisiera que te soltaras un poco y me escribieras una de tus famosas cartas. Creo que conmigo debes llevar tres de retraso en este momento. Por lo menos manda una antes de que las nevadas te encierren durante el invierno. Me gustaría saber a qué le llamas *tú* trabajo estos días. Siempre me hace reír eso.

Gracias de nuevo por la especie.

Atentamente,

Ronald

ASTOUNDING

SCIENCE FICTION

23 dic. 1949

Querido Bob:

He estado ocupado; principalmente con cosas de Dianética. Incidentalmente, el artículo a gran escala de Hubbard, un trabajo de 16,000 palabras, va a aparecer en la edición de mayo de ASF. Y si no causa nada más que una explosión menor, mis suposiciones están muy equivocadas. El texto es una declaración directa y completa del desarrollo de la idea, que muestra lo que le condujo a ella y declara sus resultados. Simultáneamente, la editorial Hermitage House va a publicar su libro que da detalles de las técnicas utilizadas. Y el editorial en la revista, en ese número, va de acuerdo a lo siguiente:

Se invita a todos aquellos que estén en desacuerdo a enviar artículos y cartas. Los mejores entre tales artículos y cartas serán publicados.

PERO, las cartas y los artículos polémicos *deben seguir las reglas del Método Científico.*

Con John W. Campbell, hijo, en Bay Head, lugar donde nació *Dianética,* en abril de 1950

Ahora, es algo muy, muy cruel hacerle eso último a los psiquiatras, etc. El método científico está fuertemente basado en dos grandes puntos: recurso a una autoridad no es evidencia y carece de valor en absoluto. Ninguna teoría, independientemente de lo mucho que guste y lo ampliamente que se acepte, puede sostenerse ante un solo hecho demostrable. Y pude haber añadido el Principio de Parsimonia: el principio de que la teoría *más simple* explique todos los hechos observados y que no requiera fenómenos inexistentes es la teoría preferida.

Sin embargo, sugiero que los psiquiatras, al preparar sus argumentos, traten de sustituir, "Freud", "Jung", o "Adler", dondequiera que tiendan a poner esos nombres, por "Pepito", y vean si el argumento tiene sentido. Debería tenerlo; los hechos, no las autoridades, son la única base argumentativa bajo el método científico.

¡Pero eso es cruel! ¿Te puedes imaginar a un psiquiatra tratando de debatir sobre la mente sin la autoridad como recurso?

La lobotomía prefrontal (la cual amputa un pedazo del cerebro del paciente demente "incurable") no pretende curar, lo cual no hace, sino volver más dócil al caso sin esperanza. Pero destruye permanentemente el cerebro. Ningún psiquiatra exigiría tal operación si no creyera sinceramente que el caso era algo que ningún método psiquiátrico conocido podría curar ahora, o en un futuro cercano; si no creyera, en otras palabras, las técnicas conocidas eran completamente impotentes frente al problema. A las presentes técnicas psicoterapéuticas se les ha declarado, entonces, inadecuadas para manejar el problema observado, ¡y se les ha declarado como tales por expertos que practican esas técnicas!

Saludos,
John

Acerca de la Terra Incognita:

"Hoy en día, en mis nuevos trabajos me estoy enfocando en el potencial del hombre como un esfuerzo para desviar su mente de las mezquinas intrigas de las naciones sobre un mundo pequeño y carente de importancia". —L. Ronald Hubbard, invierno de 1949, en un prefacio para el Explorers Journal en ocasión de la publicación de Terra Incognita.

Fue mucho más adecuado de lo que uno pudiera imaginar. Ya que incluso cuando John W. Campbell, hijo, preparó el terreno para la publicación de la "declaración completa" de L. Ronald Hubbard respecto al desarrollo de Dianética y aun cuando el mismo Ronald tomó en consideración las ofertas para escribir un manual completo sobre el tema, aquí estaba Dianética, por derecho propio, encontrando un lugar en el Explorers Journal.

En otras palabras: mientras que el Capitán L. Ronald Hubbard había mantenido durante mucho tiempo un lugar en esa liga de caballeros aventureros y se había distinguido por largo tiempo encabezando expediciones a través de mares distantes y cruzando gran cantidad de costas, sólo ahora se hacía evidente que sus cruzadas en el campo, y el camino hacia Dianética siempre fueron, en realidad, uno y el mismo. Alrededor de cuatrocientos mil kilómetros antes de cumplir los diecinueve años; dos viajes a Asia donde se enfrentó a misterios estremecedores; otros dos viajes al Caribe en donde localizó una civilización que existía cuando llegó Colón —todo esto y más comprenden su camino de investigación y lo que modestamente describe como los "incontables obstáculos y desenlaces" que finalmente tomaron parte en el descubrimiento de Dianética.

Así que efectivamente, los parajes salvajes a través de los cuales Ronald se aventuró en nombre de la exploración fueron la misma tierra lejana a través de la cual se abrió camino hacia Dianética. Y también como un antecedente adecuado a Dianética: La Evolución de una Ciencia y el Manual en sí, estaba la primera publicación formal de Ronald hablando sobre el tema en el Explorers Journal. En consecuencia, y no como un hecho insignificante, de la misma forma en que Dianética evolucionó de y para la exploración, el Club de Exploradores evolucionó hacia una nueva perspectiva en exploración. Es decir: no solo alentar la investigación científica de naturaleza geográfica o etnológica, "sino investigar acerca de todo tipo de cosas que lleven a un individuo hacia las regiones del mundo, ya sea desconocidas o conocidas por unos cuantos, y en donde las contribuciones al conocimiento puedan ser evaluadas de primera mano".

Así que aquí efectivamente se encuentra la exploración de un horizonte extraño y una obscuridad desconocida en donde las aventuras difícilmente pueden ser igualadas; porque aquí es Terra Incognita: La Mente. ∎

TERRA INCOGNITA: LA MENTE

por L. Ronald Hubbard

PROBABLEMENTE EL LUGAR MÁS extraño al que pueda ir un explorador es hacia adentro de sí mismo. El raudo vuelo de los aviones está engullendo con rapidez las fronteras de la Tierra. Las estrellas aún no se han alcanzado. Pero sigue existiendo un lugar misterioso y desconocido que, si bien es un horizonte extraño para un aventurero, es capaz, no obstante, de producir algunas aventuras con las que Livingstone apenas podría competir.

En el transcurso de tres pequeñas expediciones antes de la guerra, se vio que los riesgos más peligrosos en el campo de la exploración no están en la vecindad del objetivo geográfico, sino que se encuentran próximos —desde el primer momento de la planificación hasta la desbandada final— en el miembro de la expedición que es inestable.

Tras algunos años de guerra, llegó a ser más que una convicción el hecho de que hay cosas más peligrosas que los kamikazes, del mismo modo que estos habían sido más peligrosos que la malaria.

Para un matemático y un navegante, no es particularmente extraño involucrarse en las complejidades de las fronteras mentales; producir cualquier clase de resultados en su exploración de las regiones más remotas de lo desconocido definitivamente sí que lo es.

No hay razón alguna aquí para explayarse en el tema de Dianética. La columna vertebral de la ciencia se puede encontrar donde debe estar: en el manual y en publicaciones profesionales sobre la mente y el cuerpo.

Pero si Dianética se desarrolló debido a observaciones en la exploración, con el propósito de mejorar los resultados de la misma y defender el éxito de las expediciones, sería extraño de hecho no hacer ninguna mención sobre esto en el propio campo que la generó.

Basada en principios heurísticos, y específicamente partiendo del postulado de que la misión de la vida es la supervivencia y de que se sobrevive en diversas líneas de acción en lugar de en una sola, Dianética contiene varios axiomas básicos que parecen análogos a leyes naturales. Pero, independientemente de a qué sea análoga, funciona. El hombre, al sobrevivir como él mismo, como su progenie, como su grupo o la humanidad, está aún sobreviviendo igual de bien. Los mecanismos de su cuerpo y de su sociedad evidentemente están pensados para cumplir este axioma, ya que, al seguirlo científicamente, surgieron muchos otros descubrimientos. El hecho de que Dianética sea de interés para la medicina —debido a que aparentemente vence y cura todas las enfermedades psicosomáticas— y de que sea de interés para los sanatorios mentales —por cuanto tiene un efecto saludable sobre el demente— está fuera de la esfera de acción de su intención original.

Lo que se quería era una terapia que los comandantes o los médicos de expediciones pudieran aplicar, que funcionara fácilmente y en todos los casos para restaurar la racionalidad en los miembros del grupo a los que las condiciones difíciles afectaran más de lo debido y, lo más importante, que proporcionara un criterio en la selección del personal que evitara un fracaso físico y mental potencial. Esta meta se alcanzó, y cuando se alcanzó se encontró que era relativamente sencilla.

"El raudo vuelo de los aviones está engullendo con rapidez las fronteras de la Tierra. Las estrellas aún no se han alcanzado. Pero sigue existiendo un lugar misterioso y desconocido...".

Se descubrió que la mente humana no había tenido muy buen crédito en cuanto a su verdadera capacidad. En lugar de ser un órgano caprichoso y débil, se descubrió que era inherentemente capaz de una fuerza y resistencia increíbles y que uno de sus propósitos básicos era tener razón, y tener razón siempre. La mente normal puede restaurarse bastante fácilmente hasta ser la mente óptima, pero eso, de nuevo, no viene al caso.

Se descubrió el foco de infección de las enfermedades psicosomáticas y mentales en un lugar escondido pero relativamente accesible. Durante los momentos en que el funcionamiento de la mente consciente (en Dianética: la mente analítica) queda suspendido —por daño, anestesia o enfermedad como en los delirios—, existe un nivel más fundamental que sigue en funcionamiento y que sigue grabando. Cualquier cosa que se le diga a un hombre cuando está inconsciente debido a dolor o conmoción, se registra en su totalidad. Luego funciona, cuando regresa la consciencia, como una sugestión posthipnótica, con la amenaza adicional de mantener en el cuerpo el dolor del incidente. El contenido del momento o periodo de inconsciencia se llama, en Dianética, un "engrama". Las palabras contenidas en el engrama son como órdenes, escondidas pero poderosas, cuando las reestimula posteriormente una situación análoga en la vida. El dolor en el engrama se convierte en enfermedad psicosomática. Cuando se observa en el entorno, cualquier percéptico en el engrama es capaz de hacer revivir algo de la fuerza de este engrama. El engrama, implantado así en la mente, tiene su contenido de percépticos: olor, sonido, vista, táctil, sensaciones orgánicas. Los tiene en un orden preciso. El engrama se puede interpretar como si fuera una obra teatral cuando lo reestimulan los percépticos de la vida despierta, que es lo mismo que decir que para cada percéptico en el engrama existe una variedad de equivalentes en el entorno despierto. Un hombre está cansado, ve uno o más percépticos en su entorno y queda a merced del engrama que tiene dentro.

Por ejemplo, un hombre cae en una grieta de un glaciar y queda inconsciente. Sus compañeros lo sacan de ahí. Uno de ellos está enfadado y comenta, estando el hombre inconsciente, que este siempre es un torpe y que sería mejor para el grupo prescindir de él. Otro miembro defiende al hombre inconsciente, diciendo que es un buen tipo. El hombre inconsciente recibió un golpe en la cabeza durante su caída, y su brazo se hirió levemente durante el rescate.

Al recobrar la consciencia, el hombre herido no tiene "memoria" del incidente, lo que quiere decir que no puede recordarlo conscientemente. El incidente puede permanecer dormido y no activarse nunca. Pero, siguiendo con nuestro ejemplo, el hombre que le criticó un día dice, en un momento en que el hombre que se había herido está cansado, que alguien es un patoso. Sin razón alguna, el hombre anteriormente herido se pondrá muy antagonista. También sentirá una amistad irracional hacia el hombre que lo defendió. Ahora el engrama ha hecho "key-in", o se ha convertido en parte de la "pauta de comportamiento" del sujeto. La próxima vez que el hombre herido esté sobre el hielo, la simple visión de este hará que su cabeza le duela y su brazo le haga daño de forma creciente en la medida en que se canse. Además, puede tener un dolor de cabeza crónico o artritis en su brazo ya que las heridas están siendo continuamente reestimuladas por cosas como el olor de su parka, la presencia de los otros compañeros, etc., etc.

Esto es un engrama en funcionamiento. Hasta qué punto es capaz de reducir la eficiencia de una persona lo atestiguan los diarios de muchos exploradores. Un caso de malaria puede reestimularse. Un hombre tiene malaria en cierto entorno. Ahora bien, habiéndola tenido, se vuelve mucho más susceptible a la malaria *psicosomáticamente* en ese mismo entorno y con aquella gente que lo atendía. Puede convertirse en una grave carga para el grupo, porque cada nuevo pequeño ataque reestimula al antiguo, y lo que debería haber sido un leve incidente se convierte en uno muy doloroso, tratándose del primer incidente de malaria más todos los incidentes subsiguientes. La malaria es un germen. Puede resolverse como germen. Como engrama desafiará la cura, ya que no hay más Atabrine para los engramas, que su eliminación.

Casi todos los engramas graves ocurren en la vida a una edad muy temprana; sorprendentemente temprana. Los primeros forman una estructura básica a la cual es muy fácil que se adhieran engramas posteriores. Los engramas pueden esperar desde la niñez para hacer "key-in" y activarse a los 25, 50, 70 años de edad.

El engrama, un periodo de inconsciencia que contiene dolor físico y un aparente antagonismo a la supervivencia del individuo, ha sido aislado como la única fuente de aberración mental. Una cierta parte de la mente parece estar dedicada a su recepción y retención. En Dianética, esta parte de la mente se denomina mente reactiva. Desde esta fuente (sin, por otra parte, revelarse ellos mismos) los engramas actúan sobre el cuerpo y hacen que el cuerpo actúe en la sociedad siguiendo ciertas pautas. La mente reactiva está alerta durante los periodos en que la mente analítica o mente consciente tiene una consciencia reducida.

Es una cuestión de pruebas desapasionadas que la persistencia, ambición, dinamismo, fuerza de voluntad y fuerza personal no dependen en grado alguno de estos engramas. El engrama sólo puede inhibir los impulsos naturales. La utilidad de esta experiencia inconsciente tiene valor en un animal. Es un hándicap claro para el hombre, que ha dejado atrás su entorno animal. La mente reactiva, mientras limite su actividad a retirar instintivamente la mano de una estufa caliente, está realizando un buen servicio. Si incluimos el vocabulario, se vuelve mortal para el organismo. Aquellos que estén familiarizados con la semántica general comprenderán cómo computa la mente reactiva cuando decimos que "computa" en identidades. La palabra "caballo" en la mente reactiva puede significar un dolor de cabeza, una pierna rota y un grito. Este engrama, conteniendo estas cosas, computaría que una pierna rota es igual a un grito, un grito es una pierna rota, un caballo es igual a un grito, etc., etc. Si el engrama contuviera pánico, todas estas cosas serían entonces pánico. El valor de una computación mental de esta índole es enteramente negativo, inhibe los cálculos perfectos de que es capaz la mente analítica y reduce la capacidad del individuo para ser racional sobre, como se ha dicho, los caballos. Los engramas también contienen material halagador que puede dar como resultado un estado maníaco y que, de nuevo, no es muy útil en las computaciones.

La técnica de Dianética erradica de la mente reactiva todos los engramas. Antes de la terapia, estaban escondidos de la mente consciente bajo capas de inconsciencia y desconocimiento. Inhibían los buenos impulsos y generaban los malos. Después de erradicarlos con la terapia, la mente consciente gana ciertos atributos que no tenía antes, el individuo es capaz de mayores esfuerzos, su personalidad real se realza fuertemente y su capacidad para sobrevivir aumenta enormemente.

Los engramas son contagiosos. Un hombre tiene uno que él dramatiza como una pauta de enfurecimiento, y todo el mundo tiene muchos. Lo dramatiza mientras otro individuo está parcialmente inconsciente. El engrama ha quedado ahora implantado en el segundo individuo.

"... el individuo es capaz de mayores esfuerzos, su personalidad real se realza fuertemente y su capacidad para sobrevivir aumenta enormemente".

Se puede efectuar una eliminación de todos los engramas. La técnica es relativamente simple. Hay poco espacio aquí para echarle poco más que una rápida ojeada, pero un comandante de expedición la puede utilizar sin gran conocimiento de medicina y sin ningún conocimiento de psiquiatría, lo cual era la meta original en los inicios de las investigaciones hace once años.

La terapia no depende de la hipnosis. Se ha descubierto un estado que es mucho más deseable. La hipnosis es un trance amnésico con el propósito de implantar sugestiones. El problema de la hipnosis es hacer que el paciente se duerma. El propósito de la reverie de Dianética es despertar al paciente. La narcosíntesis y otras terapias de drogas tienen alguna leve utilidad en Dianética. Sin embargo, la técnica primaria consiste en estimulantes. El mejor estimulante es la Benzedrina. A falta de esta, una sobredosis de café servirá.

Se hace que el paciente se tumbe y cierre los ojos. El especialista empieza a contar. Le sugiere al paciente que se relaje. Finalmente, los párpados del paciente se agitarán. (Los tambores medicinales también logran esto sin producir un estado hipnótico amnésico dañino). Se le permite relajarse más. Luego, el especialista le dice que su "tira motora" (sus percepciones sensoriales) está retornando a un periodo de inconsciencia, nombrando la ocasión específica. Con persuasión, el paciente comenzará a sentir la lesión y sentirá que está en el lugar y el momento del accidente. Luego, se le pide que detalle todo lo que sucedió, palabra por palabra, sensación por sensación. Se le pide que lo haga varias veces, y cada vez se le vuelve a "situar de nuevo" al principio del incidente. El periodo de inconsciencia que experimentó entonces debería comenzar a aliviarse y, finalmente, puede detallar todo lo que sucedió cuando estaba inconsciente. Es necesario que sienta y vea todo lo que sucedió en el periodo de inconsciencia cada vez que detalle el incidente. No se dice nada sobre su capacidad de recordar y no se utiliza ninguna técnica de hipnoanálisis. Simplemente lo detalla hasta que ya no siente más dolor en ello, hasta que esté totalmente alegre al respecto. Luego, se le trae a tiempo presente con sólo esa orden y se le dice que detalle de nuevo el incidente. Puede que tenga que hacerlo dos o tres veces en tiempo presente debido a que los dolores somáticos habrán vuelto de nuevo. Se repite el tratamiento dos días después. Todas las sensaciones de lesión y los factores aberrativos del incidente se desvanecerán.

Se explica resumidamente aquí esta técnica para que se utilice con un paciente a quien no se haya dejado "limpio" de engramas antes de este nuevo accidente. Un "clearing" (o limpieza) de Dianética desde la primera inconsciencia de una vida hasta tiempo presente coloca a un hombre en una situación en que está casi a prueba de aberración y daño.

La característica de emergencia de esta técnica es valiosa. Las pruebas clínicas han mostrado que, cuando se erradica la conmoción con Dianética inmediatamente después de ocurrir el daño, la velocidad de curación se acelera enormemente, hasta tal punto que se han curado quemaduras en unas pocas horas. La malaria y diversas fiebres, cuando se erradican con Dianética sus efectos más álgidos, mejoran a gran velocidad.

El periodo de recuperación de incidentes de penurias y privaciones se puede aligerar marcadamente eliminando la conmoción psíquica.

Es bastante notable que las diversas manifestaciones y "curas" de la brujería y del chamanismo de los aborígenes los pueda duplicar y mejorar uniformemente una ciencia moderna como Dianética. Un engrama puede producir una alucinación mental (con una simple orden como: "¡Sólo puedes escucharme a mí!") que da el aspecto de un demonio. De un individuo con ese engrama, un chamán diría que tiene dentro un demonio, porque la única memoria sónica de la que dispondría el individuo sería el demonio.

Si bien Dianética no considera el cerebro como una máquina de computación electrónica excepto a efectos de analogía, es, sin embargo, una de esta clase de ciencias a la que pertenecen la semántica general y la cibernética, y, de hecho, forma un puente entre las dos. Pueden existir tantas órdenes engrámicas como palabras pueden haber en un idioma y tantas lesiones engrámicas como enfermedades y accidentes pueda haber. Por lo tanto, no sorprende que se puedan establecer circuitos en el cerebro que se asemejen a cualquier escuela de brujería, chamanismo y religión conocidas por el hombre. Examinándolos, se descubriría que los isleños de Banks, sentados en círculo, hablando con sus familiares muertos y recibiendo respuestas, tienen una buena colección de engramas y una mente reactiva muy activa.

> *"... cuando se erradica la conmoción con Dianética inmediatamente después de ocurrir el daño, la velocidad de curación se acelera enormemente, hasta tal punto que se han curado quemaduras en unas pocas horas".*

Seleccionar personal que no vaya a tener un comportamiento arisco u hostil y que no vaya a enfermarse debido a diversas condiciones climatológicas depende en gran medida de las percepciones de un individuo. Si un individuo puede recordar cosas que haya oído simplemente volviéndolas a oír (imagen auditiva), si puede recordar cosas que haya visto simplemente volviéndolas a ver, en color, en su mente (imagen visual), si puede imaginar en términos de color visión y tono-sónica (imaginar en términos de películas a color con sonido), y si puede recordar a su padre y a su madre en su tierna infancia, las probabilidades de que resulte ser un hombre muy estable son muy buenas. Además, resultará seguramente un hombre capaz, dentro de los límites de su inteligencia y su físico. Desafortunadamente, tales personas son muy escasas.

Si un hombre tiene pautas definidas de enojo, preocupaciones sobre cosas y tiene prejuicios irreflexivos, puede resultar difícil, ya que estas son las manifestaciones externas de una gran mente reactiva.

Llevar a un hombre a un área geográfica donde ha estado muchas veces puede ser provechoso desde el punto de vista de la experiencia; sin embargo, un historial de accidentes y desventuras en esa área sería definitivamente una cuestión a considerar. Si bien esto no significa del todo que un hombre sea un riesgo grave, existe un doble factor involucrado. Puede haber tenido estos accidentes porque tenía diversos engramas que le ordenaban que tuviera accidentes (el propenso a accidentes es el caso extremo). Y habiendo tenido accidentes en esa área, probablemente recibió varios engramas ahí que redujeron su eficiencia en esa área.

Un hombre cuyo servicio en términos de experiencia sería inestimable para una expedición podría, en términos de aberración potencial, ser un riesgo para esa expedición. Existe un remedio para un hombre tan valioso: se le pueden limpiar sus engramas, en cuyo caso su historial pasado de accidentes y fracasos queda totalmente sin validez como criterio para una conducta futura.

Se han hecho diversas pruebas en Dianética y se ha descubierto que funciona uniforme y predeciblemente en todos los casos. Existen muchos más aspectos al respecto que los que aquí se han esclarecido, pero es posible utilizar sólo estos hechos para lograr excelentes resultados. Con una erradicación verdadera y completa de momentos pasados de inconsciencia, el engrama desaparece totalmente. En el caso mencionado antes, probablemente sólo se aliviará, volverá levemente en tres días y luego se reducirá a un nivel nulo de reacción y permanecerá así, no afectando más al paciente.

La ciencia tiene la virtud de que cualquier hombre inteligente la puede usar tras varias semanas de estudio. Es decir, para la totalidad del arte del *Clearing* de un caso. Un hombre inteligente podría aprender todo lo que necesitara saber sobre el alivio de un caso en unas pocas horas de lectura.

"La ciencia tiene la virtud de que cualquier hombre inteligente la puede usar tras varias semanas de estudio".

La meta original fue proporcionar a los comandantes y médicos de expediciones una herramienta terapéutica que incrementara la eficiencia del personal y redujera su índice de fracaso. Dianética, después de once años de investigación y pruebas, consiguió algo más de lo que pretendía. No hubo ninguna intención de ser holístico y resolver las enfermedades de la humanidad. Que comenzara a curar enfermedades psicosomáticas como la artritis, migraña, úlcera, infarto, asma, congelación, sinovitis, alergias, etc., etc., que hiciera cosas rápidamente en cuanto a desarreglos mentales en el ámbito de sanatorios mentales y empezara a reemplazar esa extraña barbarie: la lobotomía prefrontal, estaba completamente fuera del plan inicial de investigación. Que navegue ahora en un nuevo curso para rastrear la causa del cáncer y lo cure, no estaba previsto.

Si hace estas cosas, como parece que las está haciendo, está en el campo de la medicina y la psiquiatría. Ninguna de estas intenciones existía cuando la Terra Incognita de la mente se exploró para encontrar respuestas. Lo que se pretendía era una herramienta para los comandantes y médicos de expediciones que se enfrentan con la selección de personal y el mantenimiento de la buena salud de ese personal. Se espera que para estos sea valioso. Si no lo es, entonces, a pesar de los elogios, en cierta medida habrá fracasado. *Ronald*

El eminente autor de *Dianética,* como apareció frente a los lectores en la primavera de 1950

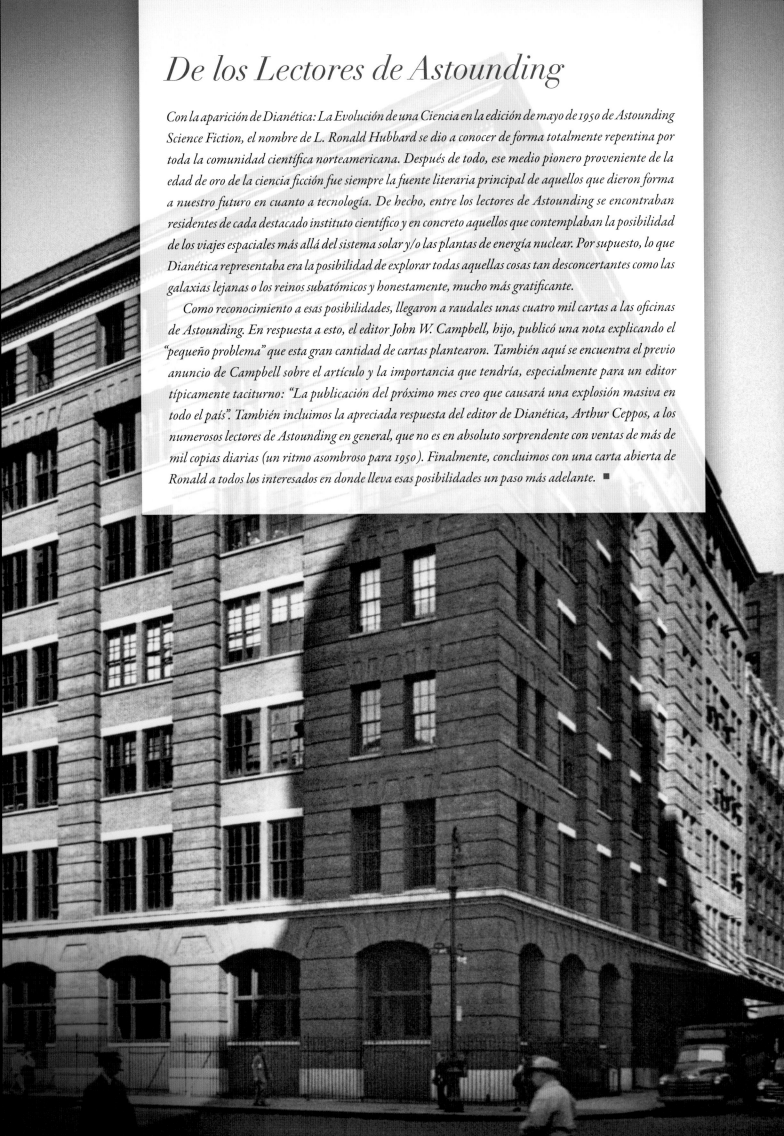

De los Lectores de Astounding

Con la aparición de Dianética: La Evolución de una Ciencia en la edición de mayo de 1950 de Astounding Science Fiction, el nombre de L. Ronald Hubbard se dio a conocer de forma totalmente repentina por toda la comunidad científica norteamericana. Después de todo, ese medio pionero proveniente de la edad de oro de la ciencia ficción fue siempre la fuente literaria principal de aquellos que dieron forma a nuestro futuro en cuanto a tecnología. De hecho, entre los lectores de Astounding se encontraban residentes de cada destacado instituto científico y en concreto aquellos que contemplaban la posibilidad de los viajes espaciales más allá del sistema solar y/o las plantas de energía nuclear. Por supuesto, lo que Dianética representaba era la posibilidad de explorar todas aquellas cosas tan desconcertantes como las galaxias lejanas o los reinos subatómicos y honestamente, mucho más gratificante.

Como reconocimiento a esas posibilidades, llegaron a raudales unas cuatro mil cartas a las oficinas de Astounding. En respuesta a esto, el editor John W. Campbell, hijo, publicó una nota explicando el "pequeño problema" que esta gran cantidad de cartas plantearon. También aquí se encuentra el previo anuncio de Campbell sobre el artículo y la importancia que tendría, especialmente para un editor típicamente taciturno: "La publicación del próximo mes creo que causará una explosión masiva en todo el país". También incluimos la apreciada respuesta del editor de Dianética, Arthur Ceppos, a los numerosos lectores de Astounding en general, que no es en absoluto sorprendente con ventas de más de mil copias diarias (un ritmo asombroso para 1950). Finalmente, concluimos con una carta abierta de Ronald a todos los interesados en donde lleva esas posibilidades un paso más adelante. ∎

EN EL FUTURO

La publicación del próximo mes, creo que causará una explosión masiva en todo el país. Estamos escribiendo un artículo de dieciséis mil palabras que se titula: "Dianética... Introducción a una Nueva Ciencia", por L. Ronald Hubbard. Creo que será la primera publicación del material. Te aseguro con completa y absoluta sinceridad, que es uno de los artículos más importantes que alguna vez se hayan publicado. En este artículo, se habla de la investigación del mismo Hubbard acerca de la pregunta de ingeniería de cómo es que la mente humana funciona, y se presentan descubrimientos fundamentales inmensamente importantes. Entre ellos:

Se ha desarrollado una técnica de psicoterapia que cura *cualquier* demencia que no sea debida a una destrucción orgánica del cerebro.

Una técnica que le da a cualquier hombre una perfecta memoria, completa e imborrable, y una capacidad absoluta y sin errores para computar sus problemas.

Una respuesta básica y una técnica de curación, no de alivio, de úlceras, artritis, asma, y muchas otras enfermedades no generadas por bacterias.

Un concepto totalmente nuevo sobre la verdadera e increíble capacidad y fuerza de la mente humana.

Evidencia de que la demencia es contagiosa y que *no es hereditaria*.

Esta no es una teoría descabellada. No es misticismo. Es una descripción de ingeniería fría y exacta de cómo la mente humana funciona y lo que se debe hacer para restaurar su correcta funcionabilidad; probada y utilizada en más de doscientos cincuenta casos. Y sólo hace una afirmación general: los métodos desarrollados con lógica a partir de esa descripción, *funcionan*. La técnica de estimulación de la memoria es tan poderosa, que con treinta minutos de terapia inicial la mayoría de la gente recuerda con todo detalle su propio nacimiento. La he observado en acción, y yo mismo he utilizado las técnicas.

Dejo que tú juzgues: ¿Sería este tipo de artículo de interés para ti? No es sólo un artículo sobre hechos de la mayor importancia; es la historia de la aventura absoluta; una exploración de lo más extraño que hay, la *Terra Incognita;* la mente humana. Ninguna de las historias narradas en Las Mil y Una Noches parece ser una aventura tan extraña como la experiencia de Hubbard al utilizar estas nuevas técnicas, abriéndose camino a través de la extraña jungla de pensamientos distorsionados contenidos en una mente humana. Para encontrar más allá de esa zona de locura, un mecanismo de computación definitivo de increíble eficiencia y perfección. Para descubrir que una personalidad totalmente cuerda, enormemente capaz y altruista se encuentra atrapada en cada mente humana, a pesar de lo demente o criminal que pueda parecer desde fuera.

El Editor

ASTOUNDING SCIENCE FICTION

"One's necessary before you can join the Service. I'll fly the machine."

The gale lifted them high and the wire thrummed with the force of the wind. There was a moment of awful movement as Ted released the tow ring and then they were riding the storm.

"Now to land her without crashing," said Mary.

"I shall do that safely on Headquarters landing field," said Ted grinning, "but it will be a most almighty thump!"

It was.

THE END.

IMES TO COME

...er by Brush, familiar heretofore on the inside art work; ...over by Miller, who illustrates—or perhaps it would be ...ubbard's dianetics article in this issue. Each is new on the ...f interest and help. I think you'll like Miller's cover next ...ou'll like the story it illustrates—Katherine MacLean's

...se, be Part III of "Wizard of Linn"; van Vogt, as usual, ...n that section. It's a rather important point he makes—one ...nd has been overloooked in many science-fiction stories. ...to ruin, the ruins don't settle uniformly, forming a regu- ...ound. When a great culture collapses—would every piece ...ree, in the same way, at the same rate? That can make ...al results!

...ing up by J. J. Coupling, called "How To Build a Think- ...it-diagrams, and exact descriptions of a relatively sim- ...think. It will learn, remember, and forget. But the most ...upling's extremely strong argument that the ideal think- ...following characteristics.

...ly the first time it experiences something.

...orderly fashion!

...aining patterns indelibly—it must be able to "forget", to

...points sound entirely the reverse of an ideal thinking ...e argument Coupling presents is intriguing indeed. ...June issue, incidentally, but follows soon.

THE EDITOR.

DIANETICS | THE EVOLUTION OF A SCIENCE

BY L. RON HUBBARD

A fact article of genuine importance. See the Editor's Page.

Illustrated by Miller

INTRODUCTION

The editor asked me to write this introduction to one of the most important articles ever to be published in Astounding SCIENCE FICTION, for some very good reasons. First, he wanted to make certain that you readers would *not* confuse Dianetics with thiotimoline or with any other bit of scientific spoofing. This is too important to be misinterpreted. Second, he wanted to demonstrate that the medical profession—or at least part of it—was not only aware of the science of Dianetics, but had tested its tenets and techniques, and was willing to admit that there was something to it.

There *is* something to it; there is so much to it, in fact, that its potentialities cannot yet be fully comprehended. Those of us who have worked with Dianetics—and that includes the Editor—have seen what it can do, and are convinced of its tremendous importance. I am not going to try to persuade you of its importance to you personally and to the human race; you must determine that for yourself. But while you are exercising your judicious, scientific skepticism, let me give you another point to consider in the meantime.

Dianetics is, in addition to all its other attributes, a thrilling adventure. Ron Hubbard, long a member of the Explorers Club, has gone exploring in the most obscure *terra incognita* of all—the human mind. He has explored a region wherein lies the mightiest power in the known Universe.

The mightiest power known in the Universe today is not the atomic bomb; that power was discovered, developed and controlled by the greater power of human thought. And human thought—our most intimate possession—has been the least known of all powers. Hubbard, in undertaking this research, undertook the greatest adventure any man can imagine—a stranger and more fantastic experience than any visit to the cities of the Arabian Nights. To understand the human mind, he had to find a path into the seat of madness, find a way through that zone of distortion of thought—and on the other side he found the most marvelous mechanism imaginable. He found a computing machine, whose functional capacities tran-

Dianética: La Evolución de una Ciencia como se publicó originalmente en la edición de mayo de 1950 de *Astounding Science Fiction*, lo cual generó unas dos mil cartas pidiendo información en un lapso de dos semanas

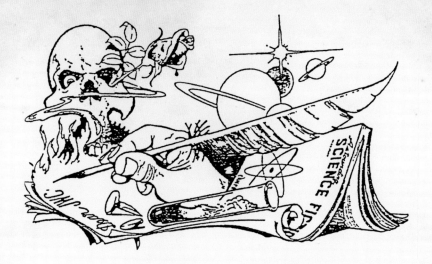

LOS HECHOS

Del Editor:

Nos encontramos ante un pequeño problema. La mayoría de las cartas de este mes tenían que ver, por supuesto, con Dianética. Como alrededor de dos mil llegaron durante las dos primeras semanas, yendo casi todas a la editorial Hermitage House para encargar el libro, es un poco difícil presentar un muestreo. Alrededor del 0.2 por ciento eran desfavorables; para hacer un muestreo real, yo tendría que publicar una de esas y alrededor de quinientas de las otras; lo cual es muy poco práctico. Y nos resulta imposible responder a muchas de las cartas inquisitivas, a causa del puro volumen. Por lo tanto, Hubbard y Arthur Ceppos de la editorial Hermitage House están respondiendo del único modo posible; por la presente. Y lo siento, ¡pero con una sección de Los Hechos de dos mil cartas, el problema se vuelve imposible!

Estimado Sr. Campbell:

¡Esto es verdaderamente asombroso, Dianética!

Una tarde soleada a dos mil cuatrocientos metros de altura en un cielo rayado por fuego antiaéreo sobre Dieppe, miré sobre mi hombro izquierdo a través de ciento ochenta metros de espacio abierto y observé los diablos de llamas danzantes que brotaban de los bordes de ataque de las alas de un FW-190, sabiendo que cada destello bien podría ser mi última impresión en esta vida, mientras me ocupaba de la mecánica de salirme de la mira en mi pequeño Spitfire.

Y en otra mañana soleada en el Marruecos Francés, "conduje" mi P-39 sobre la cima de un baja colina a aproximadamente cuatrocientos ochenta kilómetros por hora e hice descender su morro para encontrarme con una línea de alta tensión no cartografiada directamente en mi camino. Sentí el aliento ardiente del Infierno en el shock y el destello que siguieron, y me pregunté, en serio, si había sobrevivido a esa experiencia, incluso después de hacerlo.

He serpenteado y esquivado los negros estallidos, feroces e impersonales del fuego antiaéreo sobre Francia y el Canal de la Mancha, tratando de no adivinar cuándo o si los chicos en tierra allá abajo montarían el proyectil que me tocara a mí.

He volado mi P-400 sobre dos mil kilómetros de alta mar desde Inglaterra hasta África; siete horas y cuarto amarrado a un asiento a medio camino entre el cielo y un frío y acuoso entierro, sabiendo que no era muy probable mi llegada a Puerto Lyautey.

He explorado los tramos medios y altos de la famosa Casbah de Argel en las horas entre la media noche y las cuatro A.M., armado, desde luego, pero acompañado por dos hombres en uniformes aliados y un civil "francés", todos los cuales me eran desconocidos hasta apenas las once y media de esa misma noche.

Observé el polvo y los escombros elevarse hasta cinco mil metros o más sobre la pequeña isla de Pantelleria bajo el terrible poder de las descargas de bombas de B-17s agrupados.

He hecho por lo menos quinientos aterrizajes en un avión de caza de una clase u otra, cada uno de los cuales fue en sí un pequeño problema de supervivencia.

Y podría seguir, seguir y seguir, pero no debo molestarle con más de lo mismo. Mi punto es que tengo algunas razones para creer que he tenido bastante experiencia y oportunidades para sondear las profundidades y explorar las alturas de aquellos sentimientos asequibles por los terrícolas.

Pero nada de lo que he hecho, leído, oído, visto, sentido o percibido de cualquier manera me ha afectado tan profundamente como este material acerca de Dianética. Por primerísima vez, me siento justificado en el uso de palabras como sobrecogedor, electrizante, estremecedor, etc.

Si esta nueva palabra realmente representa una nueva Ciencia —como usted y sus escritores la han descrito— entonces su nombre, junto con el de Hubbard, pertenece a la Historia...

Harry J. Robb,
625 Ray Avenue, N. W.,
New Philadelphia, Ohio.

Estimado Sr. Campbell:

He leído con gran interés el artículo de L. Ronald Hubbard "Dianética" y mandé a pedir una copia de su libro.

Hubbard menciona brevemente la Dianética Política, la Dianética Industrial y otras divisiones potenciales de esta nueva ciencia mental. Como estudiante para profesor en historia de Estados Unidos, estoy interesado en las ramificaciones de la Dianética Educativa.

Durante un tiempo fui especialista en psicología pero rápidamente llegué a considerar su estado actual como muy provisional e incompleto: algo así como la medicina en la Edad Media. (La profesionalización que se requiere en este campo; un doctorado para los psicólogos clínicos y similares, no es prueba de su naturaleza científica. Los estudiantes de la edad media tenían que estudiar meticulosamente los Cuatro Humores y otras doctrinas erróneas antes de poder recibir sus títulos). Es por eso que este nuevo enfoque de la psicología ha despertado mi interés y mi esperanza.

Durante los últimos dos años, al mismo tiempo que estudiaba los cursos de entrenamiento requeridos para ser profesor, llegué a la conclusión de que los métodos actuales de educación son ineficientes incluso cuando están reforzados con fuertes dosis de técnicas audio-visuales. En general, nos atiborran de todo tipo de conocimiento técnico, principios psicológicos y prácticas. Pero esencialmente, nuestra capacidad mental permanece sin cambio. No podemos recordar todos los datos que se nos imponen o convertir nuestra erudición psicológica en una brillante práctica. En pocas palabras, nuestro nivel mental sigue siendo del diez al veinte por ciento del total de nuestra capacidad mental. Técnicas de búsqueda de datos en la biblioteca, cursos de mejoramiento, bibliotecas privadas con libros de texto y ayudas audio-visuales son sustitutivos pobres de un uso mental completo. Si Dianética puede aumentar el uso de nuestras capacidades mentales, hará más por la educación que todas estas otras técnicas mencionadas anteriormente.

Wallace Liggett,
1865 Euclid Avenue,
Berkeley 9, California.

Estimado Sr. Campbell:

Nos gustaría expresar por medio de sus columnas nuestro agradecimiento a la respuesta que los lectores han tenido hacia el libro de Dianética.

Aunque hasta la fecha no se ha hecho por parte de nuestra firma ninguna campaña publicitaria para promocionarlo, "Dianética: La Ciencia Moderna de la Salud Mental: Manual de Terapia", está vendiendo a una velocidad de mil copias al día. Hemos estado recibiendo entre ciento cincuenta y trescientos cincuenta pedidos diarios, pagados por adelantado, sólo de los lectores de Astounding SCIENCE FICTION.

Estamos gratamente complacidos con la calidad de las cartas que hemos recibido de sus lectores. Obviamente, existe un predominio de profesionales entre sus lectores. Cerca del 5 por ciento de los pedidos que hemos recibido de su revista han sido de médicos. Un porcentaje mucho más alto ha sido de ingenieros y profesores universitarios.

Esperamos que sus lectores nos disculpen por el retraso para enviar las copias en respuesta a sus pedidos. El autor es parcialmente responsable por este retraso, ya que trabajó hasta el último momento para asegurarse que cada pieza de información sobre Dianética que fuera de utilidad se incluyera en el manual y que ningún problema importante sobre la terapia se dejara sin cubrir. Aún así, esto se llevó a cabo en un tiempo récord para una publicación, desde el momento de recepción del manuscrito hasta la terminación del producto.

Nuestra publicidad general y nacional sobre Dianética comenzará muy pronto.

Entre tanto, las respuestas de sus lectores han sido magníficas. Hemos estado considerablemente impresionados por la inteligencia de las cartas que hemos recibido y por los lectores que se han presentado personalmente en la oficina para reservar una copia del libro.

Arthur Ceppos,
Presidente, Hermitage House,
One Madison Avenue,
New York City.

Ese retraso se debió a la incorporación de casi cincuenta mil palabras adicionales al material.

Estimados Lectores:

Me gustaría expresar mi profundo aprecio por la magnífica acogida al artículo: *Dianética: La Evolución de una Ciencia*.

Más de dos mil cartas llegaron a las oficinas de esta revista y a las de la Editorial Hermitage House en Nueva York, la editorial de este *Manual*. * Como las cartas aún siguen llegando, mientras se escribe esto, al ritmo de más de doscientas al día, no puedo decir con precisión cuál va a ser la respuesta total. Menos de quince de estas cartas son adversamente críticas y sólo tres están intensamente contra Dianética. Debido a que una de esas tres fuera de un joven caballero que estaba a punto de recibir su título de posgrado en psicología, la amargura de la carta es fácil de entender, y uno tiene cierta inclinación a sentir compasión por el redactor. Un resultado de dos mil a favor y tres en contra más bien tiende a tragarse la oposición y a llevar a cabo un principio que he observado a menudo, que las protestas violentas contra Dianética pronosticadas por algunos de sus partidarios dejan de materializarse tan pronto como se comunica un conocimiento preciso de la misma.

La publicación del artículo parece haber salvado varias vidas. Y ha cosechado considerable reputación para la nueva ciencia. Más de cincuenta médicos y psiquiatras escribieron cartas expresadas en términos de cálida aprobación. Ni un solo individuo cuya profesión estuviera íntimamente relacionada al trabajo mental y que tuviera experiencia con el mismo criticó a Dianética. De hecho, parece que aquellos quienes mejor comprenden los problemas de la mente, debido a su trabajo profesional, son aquellos quienes más rápidamente captan y aceptan Dianética. La lista de profesionales intensamente interesados en Dianética contiene ahora algunas de las autoridades más prominentes sobre la mente en Estados Unidos.

El entusiasmo de la respuesta ha sido de lo más gratificante. Dianética parece haber despegado como un manojo de cohetes V-2, aunque esperamos que haya sido con un propósito más constructivo que el que tienen estos.

Estaría por completo fuera de mi capacidad, en cuanto al mero trabajo, contestar los muchos interrogantes sobre puntos específicos que estaban incluidos en algunas de las cartas. Ningún punto presentado en cualquiera de estas cartas no está tratado en el Manual. El artículo fue, por necesidad, breve y somero en algunas partes. En las 180,000 palabras del Manual se da cobertura adecuada a todos los puntos. Por supuesto, algunas cartas se contestaron porque tenían categoría de emergencia. Ejemplo: "Estoy contemplando el suicidio. ¿Puede ayudarme Dianética?". Ejemplo: "Durante algún tiempo he considerado cometer un asesinato. ¿Qué puede hacer por mi Dianética que vuelva eso innecesario?". Ejemplo: "Mi bebé está a punto de nacer. ¿Qué puedo hacer para que el nacimiento sea más fácil?". Dianética puede, ciertamente, ayudar en cada caso.

Un lector comentó que aunque el artículo cambiaba radicalmente las cosas para él, los autobuses seguían marchando y *Time* no lo había mencionado. De hecho, *Time* dedicará pronto espacio a Dianética, como lo ha hecho *Pathfinder.* Esta revista, *Astounding Science Fiction,* publicó lo que los editores de periódicos llaman una *primicia.* Pocas publicaciones nacionales, en estos próximos meses, no publicarán artículos sobre Dianética, habiendo dispuesto espacio para esta en los dos últimos meses. Ninguna publicidad nacional aparte de una noticia de ciencia en *Pathfinder* y el artículo en *Astounding* se ha publicado en el momento en que esto se escribe.

Varios lectores parecieron estar interesados en qué relación mantenía Dianética con Dios y la Mente Infinita. Algunos supusieron que probaba la espiritualidad del hombre, algunos supusieron que la refutaba. Dianética está en la misma posición que la física en relación con Dios y la Mente Infinita. Aunque puede que haga posible una clara visión de este problema, de ninguna manera pretende negarle a un hombre un alma u dotarle de una. Sean las que sean mis opiniones personales sobre este asunto, no tienen cabida alguna en Dianética, pues Dianética no depende de la opinión, ni de la mía ni de la de alguna autoridad en religión o misticismo. Dianética está construida para ser usada y ser usada por cualquiera en cualquier marco de referencia. No debería convertirse en una manzana de la discordia en cuanto a lo que prueba o refuta en campos en donde no está intentando adentrarse.

Una pregunta general, contenida tanto en las cartas como en las conversaciones que he tenido últimamente con varios lectores de esta revista, tiene que ver con cómo supera uno la oposición a Dianética por parte de sus amigos. Evidentemente muchos individuos han intentado comunicarles Dianética a otros, quienes, no sabiendo nada al respecto, simplemente se han negado a recibir cualquier conocimiento de la misma, principalmente a base de que el problema de la mente humana es terriblemente complicado y no puede resolverse y que, por lo tanto, no vale para nada escuchar cualquier solución posible.

A propósito de este asunto, tomemos el caso de un escritor de esta revista que, hace diez meses, se declaró a sí mismo violento opositor de Dianética. No se había producido ninguna publicación de sus principios, y él no sabía nada en absoluto de la misma. Pero se oponía a ella. Cuatro meses después entabló una violenta discusión con un médico que estaba a favor de Dianética. Cuatro meses después de eso sus denuncias contra Dianética eran virulentas. Pero en pleno vuelo le llegó el dato particular de que un zumbido en los oídos era una condición psicosomática. Inmediatamente cesó la resistencia durante suficiente tiempo como para preguntar qué causaría el sonido muy alto en tono. Se le dijo que posiblemente haya habido un intento de aborto con quinina en el que su madre haya dicho: "Simplemente no cesa.

Los oídos me siguen zumbando y zumbando y zumbando hasta que casi me vuelvo loca". Unas cuantas horas después de eso estaba al teléfono rogando por recibir algunos datos acerca de la terapia de Dianética. En resumen, la oposición generalmente deriva de una ignorancia completa del tema y de una renuencia a examinarlo. Además, la oposición a Dianética se desmorona instantáneamente cuando el opositor se da cuenta que él mismo, personalmente, podría beneficiarse de ella. Después de eso la oposición se desvanece.

Algunos auditores aquí han desarrollado un método de "vender Dianética" que denominan "mostrar la mercancía". No tratan de venderla en absoluto, pero si una persona está interesada, contestan sus preguntas. No hace falta realmente vender Dianética. El profesor de psicología del que un lector informó que había consumido su hora  completa en una denuncia mordaz de esa "basura" no sabía nada acerca de Dianética, no había hecho ninguna prueba, no había leído ningún dato o axioma y no estaba informado en general acerca del tema. Si ese profesor fuera a calificar como científico, tendría que dejar a un lado ese emocionalismo extremo, pues la ciencia es un asunto de hechos, no de opiniones. El lector que informaba de eso, evidentemente uno de los estudiantes, se volvió extremadamente curioso acerca de dónde exactamente estaban llevando sus aberraciones al profesor. Sin embargo, si a este hombre se le dieran datos sobre Dianética y se le persuadiera a hacer una inspección desapasionada de los mismos, es seguro que su actitud cambiaría, pues Dianética da la talla en forma de pruebas de laboratorio tan bien y es, en verdad, el sistema experimental que el psicólogo necesitaba para habilitarse a sí mismo como un científico exacto y poder volverse inmune a las pullas que continuamente le lanza el científico físico. Dianética coloca al psicólogo en una posición muy firme, puesto que él puede probar que aquello en lo que trabaja tiene gran valor y tiene, adicionalmente, precisión en sus resultados. Usando Dianética, el psicólogo a salvo del vituperio tal como el que se le dio en el reciente libro, *La Ciencia es una Vaca Sagrada*. Dianética está de su lado. Si él o cualquier otro la quiere atacar, eso es un derecho innato. Si cualquiera la quiere usar o la necesita, la va a ver.

Casi toda la oposición a Dianética deriva de la ignorancia de la misma y cede —excepto cuando uno está tratando con una mente verdaderamente imbécil o un psicótico— en el momento en que se inspeccionan los detalles y las evidencias de la ciencia.

Hay que recordar, también, que muchos individuos tienen intereses creados en pasados métodos y teorías relativos a la mente, y que tales individuos ven en Dianética una amenaza económica o una amenaza a su prestigio personal. Uno debe ser capaz de darse cuenta de esto y comprenderlo. Generalmente la magnitud del riesgo y perjuicio que Dianética le hará al ingreso de alguien son ambos fantasías. Personalmente me he encontrado con muy poca gente así. Pero cuando lo he hecho, en unos cuantos días o meses han respondido favorablemente. Recuerden que algunas mentes no son tan rápidas para captar las cosas como otras, y que algunas mentes están tan absortas en el prestigio personal y la economía que no ven beneficio en nada que no sirva a estas obsesiones.

El método óptimo de convencer a cualquiera acerca de Dianética es dejarle que se deslice por su propia línea temporal y descubra unas cuantas cosas. En otras palabras, dale lo que en la terapia llamamos un *recorrido corto*. Eso no puede hacerle daño. Normalmente lo predispone a un asombro placentero acerca de este nuevo horizonte, e incluso a una participación entusiasta en Dianética.

Por encima de todo, no te preocupes acerca de si la gente acepta o no Dianética. Una opinión mayoritaria no establece necesariamente la verdad de nada. Por ejemplo, el hecho de que los ilustrados de la época de Shakespeare puedan haber creído en fantasmas no probaba que los fantasmas existieran. La opinión individual es válida sólo después de la observación de algo. Si un hombre no observa, olvídalo.

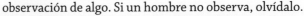

Una cosa extraña está pasando y continuara pasando. Hay una proporción directa entre la brillantez de una mente y su capacidad para comprender y trabajar con Dianética. Hemos comprobado eso continuamente. Se puede contar con que una persona sumamente exitosa, por ejemplo, en el campo del psicoanálisis, capte Dianética rápidamente. El de segunda categoría, cuya práctica no es exitosa, cuya seguridad ya es pequeña, puede tener dificultad en comprender Dianética e incluso ser virulento acerca de ella. De esto deriva, independientemente de lo que hagamos o deseemos hacer para impedirlo, una aristocracia en cuanto a la mente. La gente que es brillante y tiene una dinámica alta, al comprender y experimentar el "Clearing", se volverá más brillante y tendrá una mayor dinámica. Habrá muchas de éstas personas. Pero tendrán que llevar, con su propia energía, por decirlo así, a aquellos a quienes quieran beneficiar. Por debajo de esto estará la persona cuya locura o criminalidad la ha convertido en amenaza para la sociedad (y que recibirá una *Liberación* en Dianética a costa del estado), y aquellas personas que tienen suficiente dinero para comprar un estado de Liberado o de Clear (costoso cuando no se hace en equipos) puesto que ningún buen practicante profesional trabajaría por menos de 15 dólares la hora, y generalmente cobra más. A nivel inferior, habrá aquellos que, por varias razones, no emprenden el Clearing y para quienes no se lleva a cabo ningún Clearing. De ese modo se establece una amplia separación. De acuerdo con el adagio de que quien más tiene más consigue, uno ve con cierta tristeza que más de tres cuartos de la población mundial quedará sujeta al cuarto restante como consecuencia natural, y acerca de lo cual no podemos hacer absolutamente nada. Afortunadamente, la buena voluntad de la cuarta parte superior impedirá su explotación de los menos afortunados.

Así que si tu amigo o pariente le vuelve la espalda a Dianética y se niega a examinarla incluso después de que hayas hecho lo mejor posible para explicarla, no te desanimes. El que tú la veas y puedas usar no le ha hecho daño en ningún modo. Él se lo pierde, no tú.

Unas palabras adicionales. Muchos de ustedes tendrán el libro en el momento que lean esto. Les llamo la atención al hecho de que mientras usen la técnica estándar sin diluirla con hipnosis, drogas o alguna idea preconcebida, están completa y absolutamente a salvo, sus pacientes están a salvo y no puede pasar nada en absoluto que le haga daño a nadie. Una larga, larga serie de experimentos ha demostrado esto. Siempre es mejor adentrarse en un caso que no abordarlo, incluso cuando el auditor está completamente falto de destreza. Así que no tengas aprensión alguna respecto a lo que podrías hacer o a lo que se te está haciendo, simplemente continúa siguiendo las reglas tan estrechamente como puedas.

Estamos abriendo un instituto para entrenar auditores profesionales porque tantos psiquiatras, psicoanalistas y médicos han expresado su deseo de un entrenamiento especial. Probablemente se abrirán institutos en varias partes del país tan pronto como tengamos tiempo para ello. Se ha formado una Fundación para el control de dichos institutos —y los ingresos del Manual, a propósito, se han entregado, en su totalidad, a la Fundación— y sólo es cuestión de tiempo antes de que haya una en tus proximidades si todo va bien. Sin embargo, esto no debería frenar tu práctica de ninguna manera de acuerdo al Manual, ni el que ejerces como profesional si así lo deseas.

Por favor, acepta mi gratitud, de nuevo, por esa fervorosa recepción de Dianética, por tus cumplidos y felicitaciones. Recompensan ampliamente una veintena de años de ardua labor.

L. Ronald Hubbard

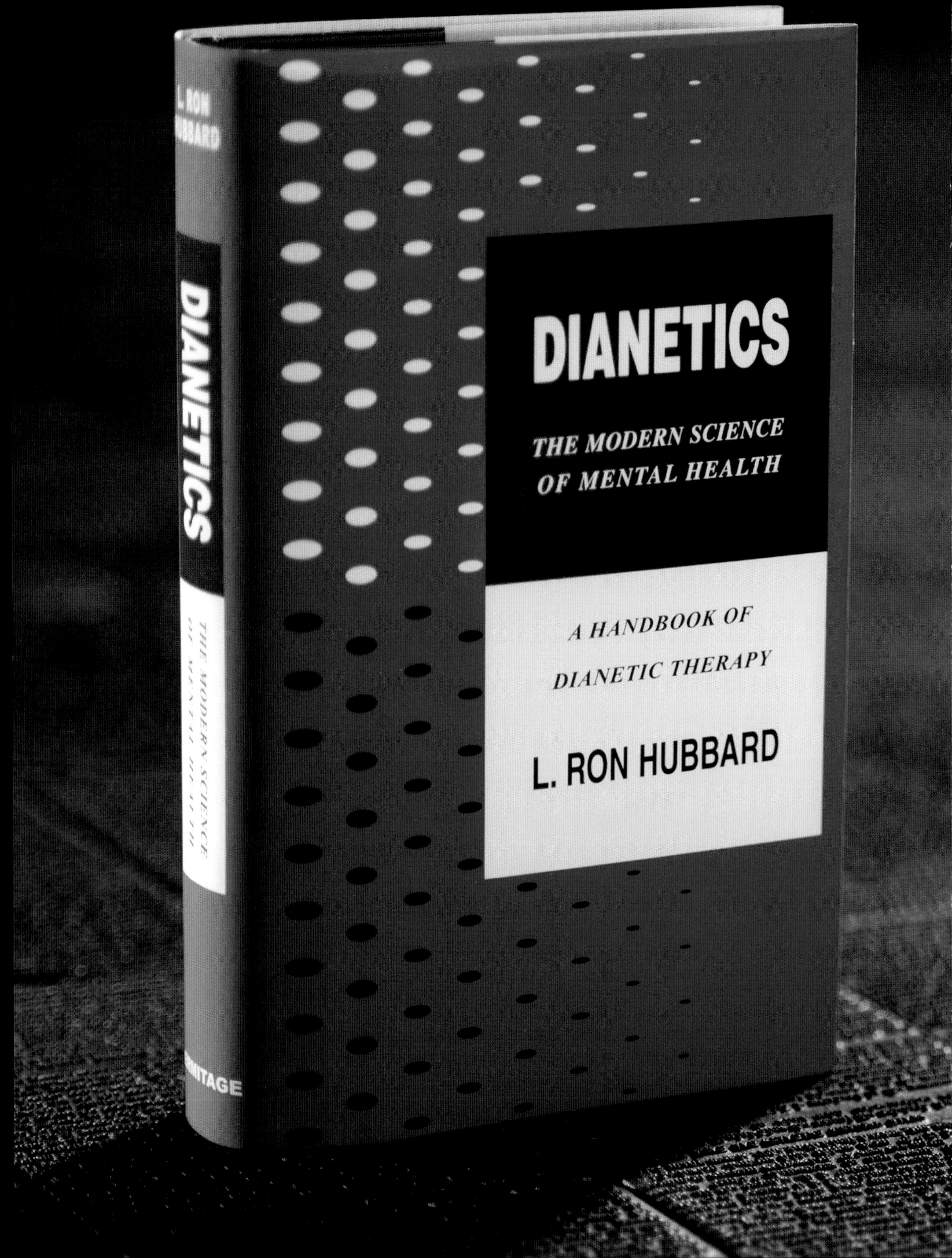
L. RON HUBBARD
DIANETICS
THE MODERN SCIENCE OF MENTAL HEALTH
DIANETICS
THE MODERN SCIENCE
OF MENTAL HEALTH
A HANDBOOK OF
DIANETIC THERAPY
L. RON HUBBARD

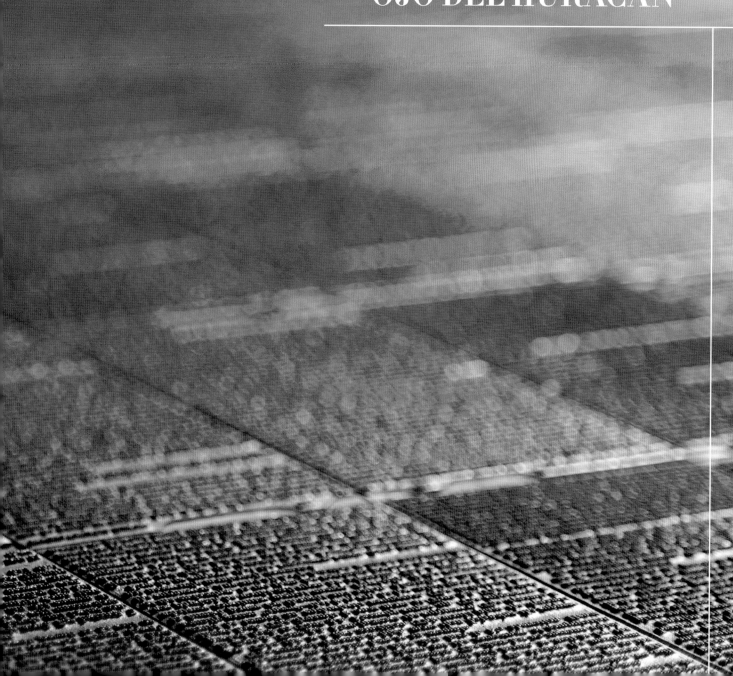

CAPÍTULO TRES

Cartas Desde el
OJO DEL HURACÁN

Cartas Desde el
Ojo del Huracán

"TENÍA QUE ESCRIBIR ESE LIBRO SOBRE DIANÉTICA, Y SE EXTENDIÓ hasta unas 180,000 palabras", le comentó LRH a Russell Hays en el maravilloso estilo despreocupado y repleto de palabras arrastradas típico de toda la correspondencia entre Hubbard y Hays. También tenemos al legendario Robert Heinlein apareciendo por aquellos días entre las cartas como si fuera un actor en una aparición breve. El también estaba esperando recibir una copia del mencionado libro sobre Dianética. "¿O es que estoy esperando demasiado?". Para nada, contestó Ronald, pero es cierto que las demandas de su tiempo eran inflexibles. Además, fue en estos días cuando la primera Fundación de Investigación de Dianética empezó a fructificar, con visiones inspiradoras de escritorios extendiéndose interminablemente y tormentas de papel con memorándums flotantes. Mientras tanto, la revista Time y el New York Times han introducido algunos reportajes sobre el tema. Luego estaban las "incontables revistas más" solicitando poder cubrir el tema, mientras que el columnista nacional Walter Winchell acaba de declarar: "Hay algo nuevo que va a salir en abril llamado Dianética. Es una nueva ciencia que funciona con la invariabilidad de una ciencia física en el campo de la mente humana. Todo indica que demostrará ser algo tan revolucionario para la humanidad como el descubrimiento y la utilización del fuego por el primer hombre de las cavernas".

El hecho es que, como los titulares de los periódicos pronto proclamarían, "Dianética estaba cautivando a Estados Unidos".

Abajo
"Algo nuevo va a salir en abril llamado Dianética" — Walter Winchell, columnista norteamericano y personalidad radiofónica

Izquierda Con estudiantes de la primera Fundación de Investigación de Dianética en 1950

Aún así, probablemente es difícil apreciar cuán intensa fue esa atracción (sobre todo en una época cuando Dianética se ha vuelto algo tan absolutamente omnipresente, uno se imagina que siempre fue así). Pero el hecho es que, cuando los periodistas la proclamaron el "movimiento de más rápido crecimiento" en Estados Unidos, y mencionaron que asociaciones "brotaban como flores silvestres en primavera", las declaraciones no eran exageraciones en lo más mínimo. Ni tampoco estaba Ronald exagerando cuando hacía alusión a una avalancha de cartas de los lectores, un torbellino igualmente exigente de demandas de instrucción y conferencias y —cuando comentó una vez más jocosamente a Hays— los "entusiastas exagerados siguen llegando y echando a perder mis fines de semana". Sin embargo, él los atendía a todos, dando conferencias e instrucción cinco días a la semana, recibiendo con gusto a aquellos que golpeaban su puerta de Nueva Jersey los sábados y domingos y, según aquí se demuestra, respondiendo educadamente a esa verdadera avalancha de preguntas provenientes de personas interesadas de todas partes.

Obviamente, sólo una fracción de esas cartas se han reimpreso aquí. Entre estos ejemplos tenemos la apasionada carta de Vivian Shirley, una de los primeros "entusiastas exagerados". También entre ellas se encuentra el conmovedor llamado de Frank Dessler quien suplicante, pide tener una oportunidad para experimentar Dianética (y quien de hecho, trabajaría más tarde como ejecutivo de alto nivel en la Fundación de Investigación de Dianética Hubbard de Los Ángeles). Finalmente, ofrecemos una sucinta pero expresiva respuesta de LRH a un tal Otto Gabler de la compañía R. E. Scott encargada de rentarle un alojamiento temporal en la calle Aberdeen. Parece ser que se presentaron quejas debido al volumen de tráfico que obstruía ilegalmente el acceso a las entradas de vehículos de los vecinos. Desde luego que, cuando uno está a punto de reunirse con el autor de *Dianética,* ¿a quién diablos le preocupa una multa de estacionamiento? ■

Bay Head NJ 2 de abril de 1950

Querido Russkell:

He tenido la intención de escribirte una epíssstola desde hace algún tiempo, pero tenía que escribir ese libro sobre Dianética, y se extendió hasta unas 180,000 palabras, y luego justo me deshice también de una novela de 50,000 palabras, y entretanto estos entusiastas exagerados siguen llegando y echando a perder mis fines de semana y, mi querido amigo, no sé lo que daría aunque sólo fuera por tabaco de mascar y algo de esa asquerosa cerveza de Kansas. Últimamente apareció un libro llamado Sin Escondite. Pues, ese soy yo, hermano, y la cosa está empeorando rápidamente. Pathfinder saca la primera publicación el 6 de abril. AP DARÁ A CONOCER SU ARTÍCULO EN BREVE. TIME y el NEW YORK TIMES van ambos a publicar un largo artículo sobre Dianética. Luego Astounding Science Fiction. Anuncios en Publishers Weekly, he estado en Winchell, pedidos del Saturday Evening Post y Scientific American de ejemplares para reseñas, y muchas revistas más.

Han estado pasando cosas. Por ejemplo, un tipo llamó por teléfono y dijo que su mujer se estaba muriendo en un hospital en Nueva York. Un médico acudió rápidamente, descubrió que tanto la psiquiatría como la medicina la habían desahuciado, y los sacerdotes estaban extendiendo sus palmas para la extremaunción. Él la sacó de una colitis crónica, que era lo que la estaba matando, en exactamente cuatro horas de terapia. Ella ha salido del hospital, y una semana después del tratamiento ha subido cinco kilos, sigue subiendo unos doscientos cincuenta gramos al día, está caminando, hablando, trabajando y sintiéndose de maravilla. Esto impresionó muy fuertemente a la prensa. Hay un par de casos más que son igualmente espectaculares. Ahora mismo hay en marcha cerca de treinta casos de terapia regulares, ninguno de los cuales he conocido personalmente, y todos están avanzando rápidamente. La Escuela de Psiquiatría de Washington probablemente la adoptará como una terapia estándar, etc.

Espero que esto te ponga al tanto de los acontecimientos, y espero que estés igual.

Saludos cordiales,
Ronald

L. RON HUBBARD
c/o EXPLORERS CLUB 10 W. 72ND ST.
NEW YORK, N. Y.

Bay Head NJ 28 de marzo de 1950

Querido Bob, queridísima Ginny:

Gracias por las felicitaciones. Te mando mis más sinceros deseos por tus propios esfuerzos para la publicación.

Son cerca de las 2:00 A.M. ¡las 0200 para ti! Acaban de sonar cuatro campanadas en mi reloj. Cat acaba de acercarse para ver a quién le estaba escribiendo y robarme la goma de borrar.

Voy a tener que enviarte uno de mis primeros lotes de libros. Las galeradas están pasando por la impresora en torrentes. Sin extras. Un manuscrito de 180,000 palabras que se empezó a escribir el 12 de enero de 1950; se terminaron el 10 de febrero y salieron de la imprenta el 25 de abril. Algunos pasando por las manos de todos. Hubiera estado mal enviarte algo menos que un trabajo detallado completo. El presente trabajo se escribió, por consejo de Spinoza, en el lenguaje de la gente. No se diseñó para la psiquiatría profesional ya que no tiene nada en común con ella, salvo que se dirige a la mente. La única crítica de la PSIQUIATRÍA y los psiquiatras es que podría ser un método que sólo el originador pudiera trabajar. Hay treinta pacientes ahora mismo bajo tratamiento en esta área a los que nunca he visto y quienes están mostrando un progreso excelente. Cualquiera que sea llevado a Clear por este limitado grupo de auditores, lo hace con el entendimiento de que él o ella llevarán a Clear a alguien más. Creemos que el libro dará suficientes datos como para permitir que una persona de inteligencia normal empiece ahora mismo sin ninguna ayuda. Personas despabiladas como tú no deberían tener ningún problema.

Las cosas están despegando. Once años de silenciosa investigación están desembocando en algo que parece ser bien aceptado. Pero llevar esta carga, financiarlo personalmente, trabajar duro en él y mientras tanto hacer mi propio trabajo me hace extrañar el bamboleo del mar y la elevación de una cubierta al inclinarse. Las Islas Griegas, las Islas Griegas. Joisey, honestamente, me aburre.

Con cariño,
Ronald

1825 Hollywood Blvd.
Colorado Springs, Colorado

17 de abril de 1950

Querido Ronald:

Tu carta del 28 de marzo indica que tu libro sobre Dianética estará impreso el 25 de abril. Por lo tanto, tendré que levantarme un poco más temprano el 26 de abril, con la esperanza de recibirlo por correo aéreo certificado. ¿O estoy esperando demasiado?

Honestamente, apenas puedo aguantar para leerlo. He tenido suficiente con las pruebas para el artículo de Astounding; de tus cartas y de las de John, como para estar extremadamente ansioso por sentarme a leer una descripción organizada y sin interrupciones del asunto. Así que, por favor no retrases sin necesidad el envío de mi copia.

Ninguna nueva noticia por aquí. Los dos estamos bien y felices y muy ocupados con los planes de construcción de la casa. Aun tengo ganas de hacer ese viaje al Este cuando la casa esté terminada. Espero que no te hayas ido a algún sitio más allá del horizonte antes de que lleguemos; o si empiezas a viajar, deberías incluir a Colorado en tus paseos.

Nuestros mejores deseos,
Bob y Ginny

L. RON HUBBARD
c/o EXPLORERS CLUB 10 W. 72ND ST.
NEW YORK, N. Y.

Querida combinación de indomables;

Tuvimos una conferencia de prensa sobre Dianética el miércoles. Hasta el momento en que llegué me di cuenta de que cuando una gran editorial propone una conferencia en realidad lo hace. Bebidas y comida para treinta publicaciones importantes y servicios informativos algunos de los cuales tenían más de una representación. TIMES, LIFE, TIME, FORTUNE, SCI AM, TOMORROW, AP, etc., etc. Todavía siento que hoy es viernes; es como si hubiera estado en el puente de una lancha de la Patrulla Costera a toda velocidad en el Mar de Bering. Ahí había dos psiquiatras que empezaron muy escépticos y acabaron con un par de ¡hurras! que me avergonzaron. Todo el mundo dice que es la mejor conferencia a la que han asistido en años.

Le he pedido al editor que te mande una copia de la primera edición. Y te adjunto la publicación que se repartió en la conferencia. Las excelencias son de la editorial.

La editorial, Campbell y algunos otros han terminado con la instalación de la FUNDACIÓN DE INVESTIGACIÓN DE DIANÉTICA Hubbard que está completa excepto por la falta de capital y un puñado de paredes cubiertas con hiedra; como que puedo ver esos escritorios extendiéndose; los memorándums de la organización y a la Sra. López que tiene cinco mil diamantes y un resfriado persistente contándome acerca de las enfermedades de su pequinés.

La terapia estándar ha sido suficiente y adecuadamente comprobada por personas que no han sido tratadas por mí; el libro lo dice todo; la editorial y los chicos de la fundación están todos trabajando duro; las publicaciones de prensa están a punto de salir a la luz. ¡Dios mío, qué aburrido está por aquí! No he tocado ni a un paciente en semanas excepto por un par de chequeos casuales. El problema de hacer algo por la sociedad es que la sociedad piensa que lo haces para que te aplaudan y te andes pavoneando por ahí con un laurel en la frente o algo así de estúpido. La terapia de Dianética te lleva directamente a *Homo Novis;* y el mundo se vuelve tan prometedor que es como el amanecer cuando eras un niño. Estoy tan inquieto como un marinero al borde de un riachuelo con diez litros de agua dieciséis mil kilómetros tierra adentro.

Mis mejores deseos,
Ronald

VIVIAN SHIRLEY
SOUTH AIRMONT ROAD
SUFFERN, NEW YORK

SUFFERN 1106

20 de abril de 1950

Sr. L. Ronald Hubbard
c/o Astounding Science Fiction
Nueva York, N.Y.

Estimado Sr. Hubbard:

He esperado veinticuatro horas para escribirle, de modo que hubiera un intervalo para que se calmara mi entusiasmo después de leer su artículo sobre "Dianética". No se ha calmado. Y aún me encuentro en un estado de maravillosa contemplación de un universo que recién se revela. Hoy compraré el libro y empezaré a estudiarlo, pero:

Si Dianética es la clase de técnica que usted describe, uno necesitaría una clase especial de entrenamiento técnico para satisfacer los requisitos del servicio que esta puede prestar. Me gustaría que se me entrenara para ser tal técnico. ¿Cómo lo puedo hacer?

Tengo muy buenos antecedentes para recibir un entrenamiento especial: docencia en un instituto, periodista con una columna personal (siete años), miembro del gremio, casada, dos hijos, trabajo independiente, luego relaciones públicas. Fui directora de Relaciones Públicas en la Comisión del Estado de Nueva York contra la Discriminación durante dos años. El año pasado hice investigación en psicología moderna y escribí algunos manuscritos en nombre de una consultoría psicológica.

Ahora mismo estoy ante una disyuntiva. He estado considerando la posibilidad de intentar conseguir un doctorado en psicología con la intención de convertirme en consultora psicológica, pero mi experiencia del año pasado no me convenció de la eficacia de los métodos que se usan ahora; parecen paliativos, no algo que llevara a una cura completa.

Ahora aparece Dianética; me suena como la respuesta para mí con respecto a los cuatro impulsos que usted bosquejó en su asombroso artículo.

Atentamente,
Vivian Shirley

ESTUDIOS DE LA CORPORACIÓN
TWENTIETH CENTURY-FOX FILM
BEVERLY HILLS, CALIFORNIA

10 de mayo de 1950

Estimado Sr. Hubbard:

Por favor no trate esta carta con ligereza. A usted puede sonarle un poco pueril, y probablemente recibirá muchas cartas en pro y en contra. Pero para mí su artículo en Astounding fue lo más importante que he leído jamás. "Dianética" es tan nueva y asombrosa que la mente tiene dificultades para digerirla en su totalidad.

Aunque estoy lejos de ser joven, habiendo alcanzado los cuarenta años de edad, estoy y he estado meditando sobre ese mismísimo tema durante los últimos veinte años. Pero hasta que leí "Dianética" eso fue simplemente una búsqueda a tientas y en plena oscuridad. Estoy de acuerdo con su teoría en su totalidad. Careciendo de la formación o el enfoque científico para abordar el problema, me he visto obligado a limitarme a meras conjeturas.

Aunque he hablado con mucha gente que enseña o predica las ciencias de la mente, siempre me he estrellado contra el muro de la religión antes de que siquiera lograra asir la verdad. Supongo que la tecla del número siete está obstaculizando todo. Soy un empleado de la firma arriba mencionada y he estado con ellos durante los últimos ocho años.

A la edad de treinta y dos años acepté un trabajo como repartidor, para poder entrar en los pórticos sagrados de este mundo de fantasía. Desde entonces he avanzado hasta la importante y muy bien remunerada posición de oficinista de la construcción (mi salario es de setenta dólares por semana). La meta que había esperado alcanzar mucho antes de esto está ahora más fuera de vista que nunca. De alguna manera nunca he podido llevar un solo propósito a su conclusión.

Hasta hace ocho años yo era un hombre que vagaba por el mundo y era crónicamente incompetente. Me metí en toda clase de problemas durante los últimos cuarenta años, la mayoría de los cuales han sido por mi culpa. Hace ocho años decidí que me convenía detenerme y evaluar mi vida antes de que me ahogara en el océano de mi propia ignorancia. Así que me casé y tomé el primer trabajo estable que he podido mantener por primera vez en mi vida. Mi matrimonio no va demasiado bien y tampoco me ha ido demasiado bien en mi trabajo. De nuevo la tecla del número siete.

He gastado dinero que apenas podía permitirme en investigación profesional de la mente. Tengo muchos miedos y complejos. Siempre estoy indeciso acerca de las cosas. Hago amistades muy rápidamente y las pierdo de la misma forma. Hace mucho tiempo que me hubiese dado por vencido si no fuera por un factor. Sentí y todavía siento que algún día vendría una solución para todos mis problemas, reales e imaginarios. Cuando leí su artículo supe que esta era la solución.

Muchos de los términos me resultan un poquito densos. Y aunque voy a comprar hoy su libro durante la hora de la comida, dudo que sea capaz de aplicarme a mí mismo gran cosa de él. Mi educación es nula (educación formal) y lo único que me salva de ser totalmente ignorante es el hecho de que he estado leyendo desde los siete años de edad y viajando desde los catorce. Comencé con las obras completas de Julio Verne y siempre me he mantenido al día con la ciencia ficción desde entonces. No solamente he estado leyendo ese material porque sea para mí una literatura muy, pero muy buena, sino porque también sabía que algún día encontraría algo que me ayudaría en mi propia vida.

No soy víctima de delirios de grandeza ni creo ser el individuo más ignorante de la ciudad de Los Ángeles. Y cada cierto tiempo capto un atisbo brillante de lo que podría ser la vida si tan sólo el hombre pudiera librarse de sus inhibiciones o engramas.

A estas alturas usted habrá empezado a preguntarse de qué diablos trata esta carta. Bueno, simplemente es esto. Usted ha mencionado que de doscientos pacientes tratados ha tenido doscientas curas completas. Ahora, cuando yo digo que también quiero curarme, usted va a decir: "¿Y qué?", quién diablos se cree que es este tipo, Dessler, insistiendo en que quiere curarse.

Bueno, yo sé que eso es posible. El yoga no ha hecho nada por mí, ni lo ha hecho nada del material tipo ciencia de la mente que se está vendiendo de puerta a puerta por todo el país, particularmente en Los Ángeles. Su enfoque es el primero que he leído que ha calado hondo en mí.

Dígame por favor lo que puedo hacer para ayudarme a mí mismo a fin de ser capaz de ayudar a otros más adelante. No estoy interesado en ninguna posible fortuna que pueda ser capaz de obtener. Simplemente quiero encontrar paz de una vez por todas en mi vida. Quiero ser capaz de vivir con mis semejantes sin odio ni desprecio. Quiero ser capaz de compensar a mi esposa por todos los esfuerzos que ha hecho por mí. Quiero ser capaz de ayudar a otros que están en el mismo atolladero.

Por favor, ayúdeme a librarme de estos demonios personales y de esa tecla del número siete. ¿Cómo lo abordo y qué hago? Dudo que pueda efectuar una autocuración simplemente con leer su libro. Dudo que sea incluso capaz de entenderlo en su totalidad. Pero sí sé que si doscientos pacientes se curaron, yo puedo curarme. Estoy dispuesto a hacer cualquier cosa para conseguir esto. Incluso dejar mi insignificante puestecillo. Porque sé que una vez que se efectúe una cura ya no habrá más ningún problema de desempleo.

Usted no me puede negar la oportunidad de vivir, cuando a menudo he considerado el suicidio como la única solución. Sé que tendré noticias suyas. Y hasta entonces espero su respuesta, si no con oraciones, por lo menos con esperanza.

Atentamente,
Frank B. Dessler
404 N. Curson Ave.
Los Ángeles 36, California

17 de junio de 1950

Sr. L. Ronald Hubbard
42 Aberdeen Road
Elizabeth, Nueva Jersey

Estimado Sr. Hubbard:

Deseamos llamar respetuosamente su atención a la cláusula número 4 del contrato de su alquiler de los locales situados en la dirección arriba mencionada, la cual indica que "El inquilino utilizará los locales arrendados por el presente contrato exclusivamente como residencia privada (a menos que se especifique de otra manera en este documento)".

La cantidad de automóviles aparcados frente a la propiedad, y otras condiciones, indican una utilización semicomercial o profesional, lo cual está prohibido. Nos permitimos rogarle que se abstenga de crear cualesquiera circunstancias que violarían los términos del contrato de alquiler.

Atentamente,
R. E. Scott Co.
Otto Gabler

SR. GABLER:

POR SUERTE PARA MÍ, SI BIEN POR DESGRACIA PARA USTED, TENGO UN LIBRO EN LA LISTA DE BEST SELLERS. EL VOLUMEN DE TRÁFICO NO SE PUEDE PARAR. ESTOY TOMANDO EN ALQUILER UNA GRAN OFICINA EN NUEVA YORK. EN CUANTO AL ALQUILER, DESOCUPARÉ EL LUGAR TAN PRONTO COMO PUEDA ENCONTRAR OTRO ALOJAMIENTO SI ASÍ LO DESEA.

L. RONALD HUBBARD

Arriba Dictando respuestas a las cartas de los lectores que llenaban las bolsas enteras de la oficina de correo

Izquierda Casa de Ronald en Elizabeth, New Jersey, donde se formó la primera Fundación de Dianética

Para la Sra. Elizabeth Byall

Entre otros que se dirigieron a los remotos parajes de Nueva Jersey en pos de Dianética estuvieron varios psicoterapeutas preocupados que buscaban una forma de tratar con eficacia la neurosis. La más notable entre ellos fue la Sra. Elizabeth Byall. A lo que se relata a través de las páginas de su sincera carta del verano de 1950, podríamos añadir que la Sra. Byall pronto adoptó Dianética por completo, y que pronto recuperó el uso de sus piernas, las cuales habían quedado paralizadas desde un ataque infantil de polio. ■

Sra. Evan Bruce Byall

Quandary Hill, Gladwyne, Pennsylvania

Estimado Señor Hubbard:

Tal vez porque mi experiencia con usted el domingo me causó una impresión tan profunda —tal vez a causa de lo que produjeron el día de ayer y el de hoy— esta noche me encuentro en necesidad de apoyo moral.

Mi reacción personal al domingo continúa casi con la misma intensidad de entusiasmo en el sentido que he estado igual de perturbada desde entonces, como estuve en ese momento, excepto que he mantenido una apariencia exterior controlada. Y estoy segura de que usted debe haber sabido que reactivó mucho más que los sucesos que cubrimos, todo lo cual me ha dejado en un estado tan solo un poco menos que radioactivo.

Ayer fue un día terrible y lo emprendí con cuatro horas de sueño, así que finalmente cancelé todas mis citas de psicoterapia excepto una, escogiendo deliberadamente a la paciente que consideré la mejor para un primer recorrido. Realmente me gané el premio gordo. Hubo un contratiempo tremendo debido a que mucho del contenido *me* reactivó aún más, ¡y ciertamente yo estaba encantada de que mi paciente no pudiera ver las lágrimas que su auditora estaba derramando en algunos momentos! Hoy recorrí de nuevo a esta misma paciente y puedo ver que me va a tocar sudar la gota gorda de verdad: ¡ella está hecha puramente de engramas! También hice un recorrido como prueba en mi ayudante, quien fue uno de mis pacientes protegidos. Yo sabía que sería una chica dura de abordar; hace poco más de dos años finalizó una depresión psiconeurótica de siete años mediante mandarlo todo al garete y un vacilante intento de suicidio. Sobra decir que ha pasado a través de muchos, muchos infiernos y mucha terapia. Pero puede que usted se hubiera enorgullecido un poco de mí; ¡lo logré!

¡Estamos todos tan genuinamente emocionados, Sr. Hubbard, y tan ansiosos de trabajar con este enfoque en tanta gente que lo necesita tan desesperadamente!

Si todavía está vigente, ¡y espero por Dios Bendito que lo esté! Quiero aceptar su invitación para verle a usted en Nueva York. No estoy segura de cuándo dijo que estaría usted ahí. ¡Me temo que desearía que eso pudiera ser ya mismo o que de otro modo le hubiésemos traído a usted a casa con nosotros! Mi psique siempre me atormenta de todos modos, y ahora entre lo que usted activó el domingo y las experiencias fenomenales que soy consciente de haber estado viviendo recientemente con mi muy incrementada carga de pacientes de psicoterapia; bueno, estoy pasando una época un tanto atribulada.

Izquierda Después de que la casa de Ronald en Aberdeen Road fuera insuficiente para alojarlos, la Fundación de Dianética se trasladó al Edificio Miller, en 275 Morris Avenue, Elizabeth, Nueva Jersey

Le adjunto, porque puede que le interese, mi artículo de la edición de mayo de la publicación Journal. Desde luego que ha sido editado y no es sino un vestigio del original. Espero oírle decir que aún estoy invitada.

Muy atentamente,
Elizabeth Byall

Martes, veintisiete de junio

Elizabeth Byall

3 de julio de 1950

Sra. Elizabeth Byall
Quandary Hill
Gladwyne, Pennsylvania

Estimada Sra. Byall:

Disfrute muchísimo la lectura de su artículo, pero incluso más la de su carta. Muchas gracias por enviármelos.

Tendremos dos oficinas; una en 275 Morris Avenue, Elizabeth, Nueva Jersey, donde se llevará a cabo la administración; y la otra en 55 East 82nd Street, Nueva York, donde se hará el entrenamiento y la terapia. Estaremos en Nueva York en unos diez o doce días. Hasta ese momento, se me puede contactar aquí en Elizabeth. Los datos incluirán nuestro número de teléfono.

Tal vez le interese saber que el jefe de investigación de la Compañía Química Block ha estado recibiendo terapia de Dianética. Su espina dorsal había sido terriblemente deformada por un ataque de poliomielitis cuando era un niño pequeño, y después de unas pocas semanas de terapia ha crecido dos centímetros y medio, y todo indica que debería experimentar una grata recuperación. Según su opinión a partir de investigaciones, la poliomielitis es en gran medida psicosomática.

Espero verla de nuevo, y puede estar segura de que dentro de los límites que me sean impuestos, mi tiempo está a su disposición.

Con mis mejores deseos,
L. Ronald Hubbard

24 de julio de 1950

Estimado Sr. Hubbard:

Aquí va una pregunta acerca de un caso *aparentemente* recuperado de epilepsia postraumática. El caso soy yo mismo; hombre, blanco, 24 años.

Como usted no mencionó las posibles complicaciones de las cicatrices cerebrales o el grado en que podrían requerir tratamiento profesional, me siento obligado a plantear la pregunta. Durante los ataques, que duraron desde junio de 1938 a junio de 1940, debo haber adquirido un magnífico embrollo de engramas, ya que muchos de los ataques fueron en público.

Los ataques ocurrieron más o menos cada tres semanas, en una ocasión pasó un ínterin de 75 días (siempre los contaba) y cerca del final los intervalos eran sólo de siete a diez días aproximadamente. El 21 de junio de 1940 tuve diecisiete ataques y el primero de julio fui a la Clínica Mayo, todavía ignorante del problema. Se diagnosticó como una "cicatriz en el cerebro". Se recetó Fenobarbital y Dilantin. Desde entonces no he tenido ningún ataque, aunque me han atemorizado los aparentes retornos del "aura", la cual siempre era particularmente vívida, mística y prolongada. Por ejemplo, una vez algo en la coda del primer movimiento de la Novena Sinfonía de Beethoven desencadenó en mí un aura, aunque empecé a interesarme en la música dos años después del último ataque. Casi he dejado de usar ambas drogas, pero no he notado ninguna conexión entre la falta de uso y el retorno del aura.

Ninguno de mis problemas de personalidad pueden remontarse a algún trastorno físico en este momento, pero tengo bastante temor a que cualquier intento de tratamiento de Dianética pueda provocar un retorno a algunos de esos momentos de ataques. De hecho, hay una leve posibilidad de que las seudoauras (eso espero) puedan ser causadas por factores engrámicos.

Ahora, ¿es eso seguro, inseguro o ha pensado usted acerca del tema? ¿Debería conseguir un médico para llevar a cabo la terapia, que necesito tan urgentemente que no puedo mantener un empleo, o debería simplemente seguir adelante? Aquí estoy, esperando a que mi esposa dé a luz en poco más de dos meses y no tengo trabajo alguno. A veces soy un escritor bastante bueno, pero no lo suficientemente bueno como para terminar una historia de modo satisfactorio, aunque muy bueno en poemas breves y artículos acerca de música. Se supone que debo ser una enciclopedia ambulante, pero mi memoria y utilidad no me sirven de nada para ganar dinero.

Hay problemas de personalidad, probablemente curables, pero simplemente le quería mostrar que no soy un caso en el cual la epilepsia haya empezado a deteriorar la mente (otro "eso espero").

Por cierto, conocí un chico que dijo que recordaba que fui golpeado en la cabeza con un bat de béisbol unas cuantas semanas antes de que comenzaran los ataques, así que probablemente no habrá ninguna preocupación prenatal acerca de ese trauma en particular. Adicionalmente, la primera vez que oí llamarle epilepsia fue cuando se me examinó para el servicio militar. Entonces el médico examinador la anotó pomposamente. Todos los médicos habían estado tan apáticos respecto al tema que cuando regresé de la Clínica Mayo enviamos informes sobre mi progreso de vuelta al Doctor McNiell por medio de un amigo que iba cada año. Esa fue la razón por la cual esa fea palabra no había surgido nunca antes.

Tal vez esto amerite una respuesta personal, ya que no he visto ninguna respuesta general en ASF y he leído su libro de cabo a rabo dos veces.

Gracias.

John Daves Roberts

Choccolocco, Alabama

◇═══════════◇

29 de julio 1950

Sr. John Daves Roberts

Box 84

Choccolocco, Alabama

Mi estimado Sr. Roberts:

Hay una pequeña cantidad de información equivocada en su carta. Aunque se ha creído popularmente que en la locura y los desórdenes nerviosos había cicatrices en los nervios o deterioros, ninguna evidencia hasta la fecha lo ha confirmado, y esas personas que estaban sufriendo aparentemente por cicatrices nerviosas se han recuperado maravillosamente.

Hay muy pocos datos disponibles sobre la epilepsia en este momento, sin embargo, se han recorrido varios casos y no ha habido evidencia de la recurrencia de ataques o del deterioro del caso. Si es verdad que a usted se le golpeó en la cabeza antes del comienzo de los ataques, ese golpe probablemente fue un key-in de incidentes prenatales. Si usted mismo puede recordar el incidente, de ser golpeado en la cabeza, eso probablemente les haga key-out a los ataques, si ese fue el principio de sus problemas.

No tenemos en este momento a nadie en Alabama al que pudiera considerarse un auditor experto, pero estoy seguro de que un amigo inteligente, después de estudiar el manual muy concienzudamente y adhiriéndose estrictamente a las reglas y en particular al Código del Auditor, debería ser capaz de hacer progresos en su caso. Si tiene un médico disponible que esté dispuesto a usar Dianética y que tenga tiempo para estudiarla, entonces ciertamente úselo.

No estoy recomendando que usted empiece a recibir procesamiento de Dianética ni se la estoy recetando para su epilepsia. Si tal es lo que es la condición, sólo estoy dándole una opinión general acerca de las capacidades de Dianética.

Por favor, déjenos saber más noticias suyas.

Sinceramente,

L. Ronald Hubbard

15 de agosto de 1950

Norman W. James
1736 Richmond Rd.
Houston, Texas

Estimado señor Hubbard:

Después de 184 horas de trabajo con Dianética, sólo puedo decir que me he convencido más y más de su valor básico con cada hora que he trabajado con ella.

La he visto funcionar en dos de mis mejores amigos, uno ingeniero, y el otro músico y escritor. Ambos estaban bastante cuerdos en primer lugar, pero ahora tienen una estabilidad mental y una felicidad *mucho* mayores que la persona promedio. La energía y el optimismo que tienen ahora están por encima y más allá de cualquier cosa de la que yo haya sido testigo antes de Dianética.

Algo más que habla bien de Dianética es que la gente más inteligente la acepta más rápido que otros. *Cuando les cuento que yo he visto personalmente la mayoría de las afirmaciones hechas en el libro, Dianética,* comprobadas en mi propia sala de estar, y que cualquier persona que esté dispuesta a leer el libro cuidadosamente puede, de la misma manera, probarlo por sí mismo. Generalmente consiguen el libro y lo leen.

Cuando Dianética sea aceptada (como inevitablemente será aceptada) traerá por sí misma una edad de oro. ¡Un mundo de felicidad, paz y prosperidad!

Sinceramente,
Norman W. James

Norman James

716 Broadway,
San Diego, California.
27 de noviembre de 1950

Sr. L. Ronald Hubbard
Box 502,
Elizabeth, N. J.

Querido Ronald:

Este saludo parece un tanto pretencioso, puesto que han pasado doce años desde que le vi por última vez.

Puede que recuerde algo de mis antecedentes, aunque nuestros contactos fueron pocos y demasiado breves. Durante casi ocho años me gané la vida como psicólogo, tropecé con un medio para superar temporalmente algunos de los peores efectos de las aberraciones y cosas por el estilo, e impartí algunas conferencias en la India en 1935-1936. Durante siete años dirigí la Escuela de Ficción de San Francisco y emití por radio El Foro de la Ficción...

Sus descubrimientos son grandes noticias, grandes noticias prácticas, para alguien que sabe algo de la mente y de los procesos mentales. Usted posiblemente ha abierto la vía a una consciencia cósmica racial. Como mínimo, la suya es la contribución individual más grande para el bienestar y el avance del ser humano. (¿Qué tal queda eso en cuanto a autoridad?).

He leído su libro. Mi esposa y yo estamos empezando la terapia. ¿Qué más podemos hacer para promover la causa? ¿Qué es lo que usted considera de máxima importancia en esta etapa?

A mi modo de ver, aunque sea estrecho en este momento, una introducción de Dianética a escala nacional es el primer paso. Esto se está haciendo mediante la amplia venta de su libro, pero como no toda la gente lo leerá y algunos no le entenderán, lo indicado sería un programa de conferencias. También he estado imaginándome el efecto de "aclarar" una ciudad elegida. Esto sería un ejemplo y una prueba irrefutable de Dianética.

¿Tendremos noticias suyas?

Atentamente,

Wilford J. Rasmussen

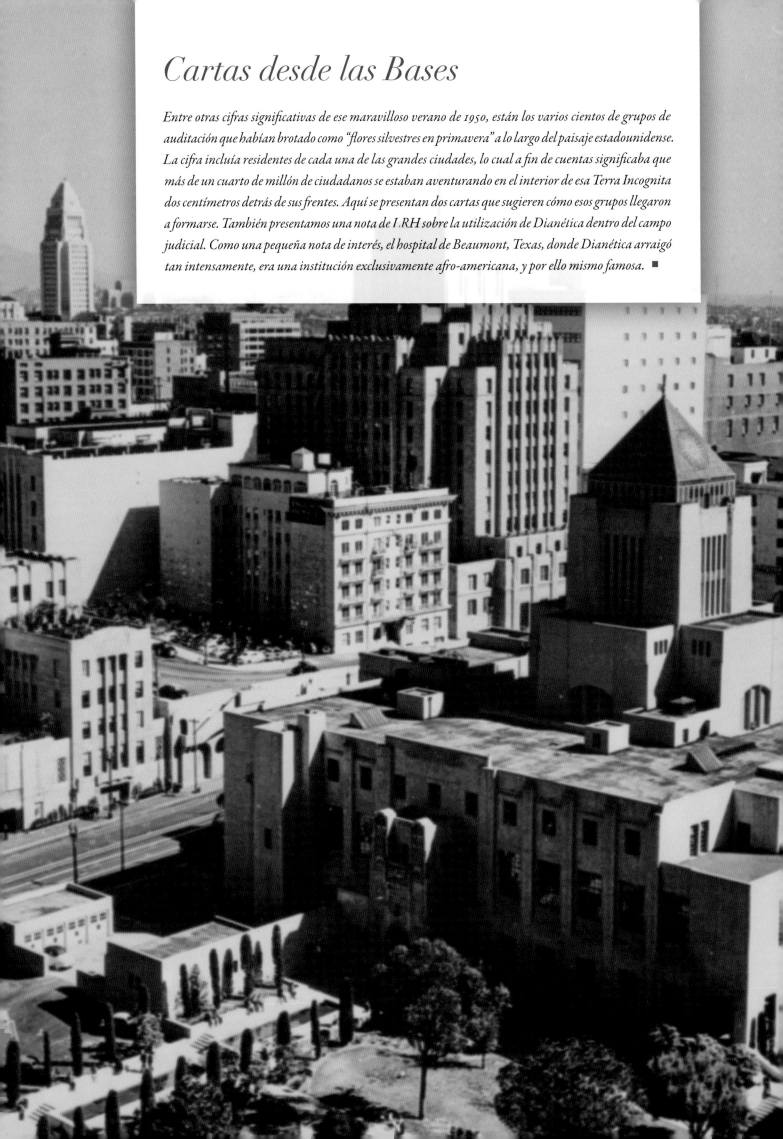

Cartas desde las Bases

Entre otras cifras significativas de ese maravilloso verano de 1950, están los varios cientos de grupos de auditación que habían brotado como "flores silvestres en primavera" a lo largo del paisaje estadounidense. La cifra incluía residentes de cada una de las grandes ciudades, lo cual a fin de cuentas significaba que más de un cuarto de millón de ciudadanos se estaban aventurando en el interior de esa Terra Incognita dos centímetros detrás de sus frentes. Aquí se presentan dos cartas que sugieren cómo esos grupos llegaron a formarse. También presentamos una nota de LRH sobre la utilización de Dianética dentro del campo judicial. Como una pequeña nota de interés, el hospital de Beaumont, Texas, donde Dianética arraigó tan intensamente, era una institución exclusivamente afro-americana, y por ello mismo famosa. ◾

DOUGLAS HOSPITAL CLINIC
MODERN ★ THOROUGHLY EQUIPPED
935 BUFORD STREET – PHONE 4787
BEAUMONT, TEXAS

22 de julio 1950

La Fundación de Investigación de Dianética Hubbard

Box 502,

Elizabeth, N. J.

Estimados Señores:

Encontrarán adjunto un cheque por valor de 15.00 dólares para la afiliación como asociado. No porque esté tomando la vía que se considere más económica, aunque no veo nada malo con esa idea, sino porque sea la solución más práctica a mi problema relacionado con Dianética. En esta sección tengo ideas concernientes al soporte financiero de la institución, y ustedes son conscientes de que los resultados tienen copiosas recompensas financieras.

Soy un médico y cirujano autorizado para ejercer, al mando de un hospital registrado, de propiedad y gestión privadas (hospital general) que abarca el campo entero de la práctica médica, incluyendo medicina general, cirugía, medicina física —prácticamente todas las modalidades de medicina física que hemos encontrado que sean prácticas y productivas de resultados predecibles— y he estado buscando durante toda mi vida consciente algo que faltaba en la medicina. En nuestra institución siempre hemos sido prácticos. No aceptamos nada que no dé resultados, así venga de la Clínica Mayo, de la Universidad Johns Hopkins, de la Clínica Ochsner, de cursos de posgraduado en medicina y cirugía, o de alguna aldea o algún pueblo pequeños, o de algún individuo desconocido. Este elemento que faltaba siempre se nos escapaba.

Nuestra rutina es practicar primero medicina estándar. Si funciona, estupendo. Si no, se debe dar otro paso. *Sin embargo, todavía faltaba algo.* Sabíamos que el elemento que faltaba residía en el campo que conocíamos como psiquiatría en esa época, pero aún no pudimos identificarlo, y no incluimos dentro de la ecuación sin resolver el hecho de nuestra incapacidad de comprensión...

DESDE NUESTRA EXPERIENCIA CON DIANÉTICA, MUCHOS POSTULADOS SOLUBLES RELATIVOS A ESTOS HECHOS SIGUEN SURGIENDO EN NUESTRAS MENTES. Estos postulados son patentemente obvios. Uno los puede ver ahora sin ningún esfuerzo. Parece que los elementos que faltaban están ahora enlazados a los postulados obvios cuya revelación DIANÉTICA ha hecho posible.

Estoy omitiendo muchos detalles porque sé que usted está demasiado ocupado para que se le moleste. Soy sólo un preclear. Mi esposa y yo nos estamos auditando el uno al otro.

Me impaciento mucho con ella aún cuando soy plenamente consciente del hecho de que lo está haciendo al máximo de su capacidad. Al principio se oponía violentamente a Dianética porque consideraba una observación sobre su inteligencia el suponer que ella necesitaba terapia mental, y mencionaba adicionalmente el hecho de que yo nunca creía nada bajo el sol en absoluto que no pudiera probarse como prueba del hecho de que yo era anormal y obviamente el que tenía más necesidad de terapia que ella. Yo no puedo discutir contra los hechos, y ella tenía hechos. Sin embargo, ahora ella está tan entusiasmada acerca de DIANÉTICA COMO YO. SE REPROCHA A SÍ MISMA POR SU LENTITUD EN LA PROGRESIVA COMPRENSIÓN DE DIANÉTICA. (Gracias a Dios no es consciente del hecho de que debería estar reprochando a su auditor —pero yo estoy manos a la obra y su archivista sabe su oficio, y deseo que este ofrezca pronto el engrama que le hace pensar que cualquier tratado científico es automáticamente difícil de entender), sin embargo, espero que cuando vaya a Los Ángeles de vacaciones en agosto y tenga más tiempo, pueda ayudarle a entender todo el manual sobre Dianética. Con un poco de ayuda, será una auditora excelente.

Tenemos cuatro miembros más en el personal del hospital a los cuales convertiremos en auditores tan pronto como volvamos de la Costa Oeste. Mi intención es no tener ningún empleado en este hospital que no sea por lo menos liberado. Nuestro personal clave debe ser Clear. Eso ya se ha vuelto axiomático para mí, porque es de una obviedad incuestionable con respecto a los beneficios para nosotros y el público y la comprensión de los mecanismos implicados en las conversaciones de los quirófanos. Hemos sido culpables de demasiada charla en el quirófano. Nuestros médicos residentes visitantes de personal serán aparentemente los más duros de manejar acerca de las conversaciones alrededor de pacientes anestesiados y en estado comatoso o semicomatoso. NO HAY FINAL PARA LOS CAMBIOS QUE DIANÉTICA ESTÁ OCASIONANDO EN NUESTRO HOSPITAL. Mucho depende de la comprensión y de la conducta del personal y empleados de los hospitales, al igual que de los arreglos físicos y las técnicas de aislamiento necesarios para casos que han recibido anestesia y otros individuos inconscientes...

Confío en que me perdonará esta larga disertación. Yo sí que deseo estar asociado, como miembro asociado (preferiblemente un miembro con pleno derecho, pero no puedo dedicarle tiempo) de la Fundación de Investigación de Dianética Hubbard.*

Atentamente,
Dr. J. S. Douglas

---

* Un tal doctor Holiday del Hospital Clínico Douglas fue entrenado en la Fundación Hubbard de Investigación de Dianética de Los Ángeles poco después de bosquejar esta carta. Después regreso a Beaumont para supervisar el entrenamiento de todo el personal del hospital en la aplicación de Dianética, incluyendo al Dr. Douglas.

9 de septiembre de 1950

La Fundación de Investigación de Dianética Hubbard
Box 502,
Elizabeth, N. J.

Señores:

En marzo de 1940, me desperté una mañana para descubrir que todo el campo visual de mi ojo izquierdo estaba nublado y que no podía distinguir con él las formas o las siluetas, sino que sólo veía manchas oscuras, como a través de una densa niebla. Mi médico hizo que me ingresaran en el hospital con diagnóstico de uveítis aguda, y después de un mes, durante el cual mantuvieron mis ojos continuamente dilatados, y se realizó una amigdalectomía (en un esfuerzo por extraer un "foco de infección"), me dieron el alta y pude regresar a mi trabajo, pero estoy obligado a usar unos lentes muy gruesos. Mientras mi ojo izquierdo nunca más estuvo completamente nublado, una o dos veces al mes en promedio yo sufría unos cuantos días de extrema incomodidad con manchas, efectos de halo, y dolorosa presión ocular interna. Esto generalmente ocurría cada vez en que había estado haciendo un trabajo donde forzaba la vista, o había contraído un resfriado, o de algún otro modo había disminuido mi resistencia.

En junio de este año me auditó por primera vez Lyman Budlong de 120 S. Fremont Avenue, Tampa, Florida, y en mi primera sesión reduje un engrama prenatal que contenía un somático grave en el ojo izquierdo. Sin embargo, demostró no ser sino un engrama de una cadena muy larga, pues cada sesión después de esa, contactamos un engrama similar con un somático ocular. Después de unas 15 horas de procesamiento, empezaron a pasar algunas cosas peculiares. *Había seguido usando mis lentes, pero los estudiantes, profesores y otros trabajadores en esta universidad comenzaron a notar que cuando tenía que leer una carta o un memorándum o me resultaba necesario mirar algo de cerca, inconscientemente echaba mano a mis lentes, ¡pero no para ajustarlos, sino para quitármelos completamente de los ojos, para ver más claramente!* Me dijeron que esto sucedió durante dos o tres días, hasta que finalmente alguien no pudo resistir la tentación de poner mi atención sobre ello, y tras experimentar brevemente, me di cuenta del hecho de que podía ver mucho mejor sin gafas que con ellas. ¡Francamente, esto me sorprendió! Mi interés por Dianética no había estado asociado con este impedimento visual (no le había dedicado un solo pensamiento a la posibilidad), sino sólo al deseo de adquirir una mayor comprensión de la mente humana. A sugerencia de varios miembros del Instituto de Investigación de Dianética de Tampa, y para satisfacer mi propia curiosidad, visité al Dr. L. L. Fernández, un optometrista de la ciudad, y pedí que hiciera una prueba completa a mi visión. Así lo hizo y me informó que mi visión era perfecta y que sólo habían quedado unas cicatrices apenas perceptibles de la antigua infección de la úvea. (incluso dijo que si no hubiera sabido que debían estar ahí, no las hubiera visto).

Además de este beneficio, hubo otro que personalmente considero más importante. Durante los últimos tres años mi condición física general había sido tan mala que permanecí bajo el constante tratamiento del Dr. G. E. Day, 508 South Willow Avenue, de esta ciudad, por anemia y baja presión arterial. Durante todo este tiempo, mi presión había fluctuado entre 80-85 sobre 40-50; sufría neurastenia general, y probablemente estaba a punto de entrar en la acelerada espiral descendente. Mi pulso estaba generalmente alrededor de entre 98 y 100. Pero, para agosto de este año todo esto había cambiado. Mi presión arterial subió hasta 108 durante la primera semana de agosto y llegó hasta 120 para fin de mes (casi lo óptimo para mi edad y mi tipo, me dijeron). Mi pulso había bajado a normal. Durante tres años había tomado botellas de ácido fólico, vitaminas, había seguido estrictamente dietas "reconstituyentes", recibido inyecciones de extracto de hígado, etc., pero sin ningún resultado aparente. Atribuyo completamente esta liberación a las técnicas de Dianética. Incidentalmente, el contenido engrámico que parecía ser responsable de mucho de esto, eran declaraciones como: "Estoy toda entumecida, todo mi cuerpo parece muerto", pronunciadas por mi madre durante una enfermedad previa a mi nacimiento.

Mi médico estaba tan impresionado por esta subida en la Escala Tonal que obtuvo un ejemplar del manual y empezó a usar Dianética en su consultorio.

Nuestra esperanza es que no hayamos actuado prematuramente o en conflicto con los programas que están siendo planificados por la Fundación cuando organizamos el Instituto de Investigación de Dianética de Tampa, la cual tiene miembros de Tampa, St. Petersburg, Clearwater y otras ciudades de los alrededores, y comenzamos a funcionar como un centro de información y coordinación. La Membresía Asociada en este Instituto está abierta para todos aquellos que estén interesados en Dianética. La membresía plena está limitada a aquellos que han obtenido liberaciones, y a quien desee hacer auditación y tomar parte en el programa de investigación del Instituto...

Una sucursal del Instituto de Investigación de Dianética de Tampa se ha establecido en la Universidad de Florida, en Gainesville, y la correspondencia puede dirigirse a su secretario en funciones, Sr. Frank Smith, Box 2611, University Station, Gainesville, Florida. En su carta previa, se hizo mención a un grupo activo en Miami. Nos gustaría recibir su dirección para que podamos enviarles individuos interesados de esa ciudad y sus cercanías que contacten el grupo de Tampa. Uno de nuestros miembros abrió recientemente unas oficinas para la práctica de la medicina en esa ciudad, y tiene grandes deseos de afiliarse al grupo de Miami.

Muy atentamente,

Morgan J. Morey, Dean

TAMPA BUSINESS COLLEGE

A. V. FALCONE

SUITE 1018 PERSHING SQUARE BUILDING

448 SOUTH HILL STREET

LOS ANGELES 13

MAdison 9-3101

8 de diciembre de 1950

Sr. L. Ronald Hubbard

2600 S. Hoover

Los Ángeles, California

Estimado Señor Hubbard:

Escuché su charla el domingo pasado en el Teatro Guild.

Me impresionó muchísimo el tremendo potencial de Dianética, si fuera "manejada" apropiadamente, en las ciencias sociales. Su aplicación particular a los campos de las ciencias políticas y de la sociología es tan patentemente oportuna que yo siento que el énfasis más grande por parte de usted debería hacerse en esa dirección.

Con mis mejores deseos.

Atentamente,

A. V. Falcone

2600 S. Hoover Street

Los Ángeles 7, California

27 de diciembre de 1950

Estimado Sr. Falcone:

Muchas gracias por su nota del 8 de diciembre acerca de la charla del Teatro Guild.

La meta más alta de Dianética es la auditación de grupos en un esfuerzo para mejorar las relaciones humanas no sólo en corporaciones y compañías, sino también en las naciones. La compilación de axiomas básicos para este propósito ha estado en progreso durante mucho tiempo y se está culminando ahora mismo, y ahora se están llevando a cabo técnicas funcionales y proyectos prueba.

Adicionalmente, puede interesarle que tengo un informe aquí de que el Comité sobre Evidencia de la Asociación de Abogados de Nueva York tiene un tremendo interés en Dianética, ya que en Dianética Judicial se avanzan ciertos principios que, de acuerdo a su declaración, hacen que muchas reglas de evidencia actuales parezcan anticuadas. Se ha informado que están emprendiendo un estudio considerable de este tema.

Gracias de nuevo por su interés. Con mis mejores deseos,

Atentamente:

L. Ronald Hubbard

Derecha Una demostración de auditación por LRH en la fundación de Dianética de Los Ángeles, a finales de 1950

Con Respecto a Asia

Aunque por lo demás hablan por sí mismas, podríamos suministrar dos notas complementarias sobre las cartas relativas a la introducción de Dianética en un Japón todavía devastado. En primer lugar, Ronald había pasado gran parte de su juventud en Oriente y, de hecho, hablaba algo de japonés; de ahí su comentario: "No me resultan del todo extraños los patrones de lenguaje que yacerían en una mente reactiva japonesa". En segundo lugar, durante mucho tiempo describiría el haber arrebatado vidas japonesas en combate como su único acto lamentable. ■

4527 Westway Place
Dallas, Texas
19 de junio de 1950

Estimado Señor Hubbard:

A finales de mayo le envié por correo un ejemplar de su nuevo libro *Dianética* al doctor Kisaburo Kawabe, profesor de Sociología de la Universidad de Komazawa, y le sugerí que lo contactara a usted acerca de la posibilidad de traducir su trabajo al japonés, ya que yo mismo quedé muy profundamente impresionado con él. Mi amigo, el Sr. Alvin hizo la reseña del libro para *Dallas Morning News* e hizo que yo comprara el libro para empezar; él también fue lo suficientemente bondadoso como para probar Dianética conmigo y, aunque ahora se ha ido al norte de vacaciones después de unas cuantas sesiones breves, ambos nos quedamos boquiabiertos ante la exactitud de sus teorías en la práctica, según se demostró en las pocas horas que fuimos capaces de dedicarles.

Yo hablo y escribo japonés, y tendría mucho gusto en ayudar al Dr. Kawabe de Komazawa con su traducción de *Dianética,* si usted decidiera otorgarle los derechos de traducción. Creo que probablemente sea un hombre sabio y bueno.

Me imagino que la aparición de su libro debe haberle traído cientos de cartas como ésta. Incluso la más breve nota a un dianeticista activo en Dallas y sobre su opinión de Kawabe como traductor serían profundamente apreciadas.

Con todo respeto,
Sam Houston Brock, hijo

23 de junio 1950

Sr. Sam Houston Brock, hijo
4527 Westway Place
Dallas, Texas

Mi estimado Sr. Brock:

Vi esta tarde al editor de Dianética, el Sr. Art Ceppos, quien tenía a mano una carta del Dr. Kisaburo Kawabe relativa a la traducción de Dianética al japonés. El Sr. Ceppos opinaba que podría hacerse un arreglo justo sobre el libro con una completa comprensión de las dificultades relativas al precio y publicación existentes en Japón.

Alrededor de hace dos años hice algunas especulaciones sobre el posible efecto de Dianética en Japón, y supuse que si Dianética se llegara a importar y propagar allí con energía, los efectos de su derrota se podrían superar con bastante facilidad, y podría ser rehabilitado a través de Dianética por su propio esfuerzo hasta ser una vez más una potencia de primera, dotado tal vez de una habilidad y una dirección mejores que le permitirían evitar algunos de los escollos que lo llevaron su reciente rumbo. Por deber a mi país, pero no a causa de ninguna antipatía hacia los japoneses, a quienes he admirado y respetado en gran medida toda mi vida, fui forzado a tomar parte en los acontecimientos que condujeron a su reciente derrota. No porque mis propios esfuerzos en la guerra fueran destructivos para él, sino porque pesan sobre mi conciencia, me alegro si mi trabajo, el cual después de todo pertenece a todos los hombres, puede ayudar a su espíritu y su prosperidad.

No me resultan del todo extraños los patrones de lenguaje que yacerían en una mente reactiva japonesa. El carácter homónimo de la lengua y su falta de artículos y pronombres podrían volverla muy poderosa en cuanto a órdenes engrámicas. Habiendo visitado las islas de Japón en mi juventud y contando entre mis amigos a muchos japoneses capaces, durante los últimos veintitrés años he estado convencido de que el Oriente tiene una gran necesidad de la capacidad, la pulcritud y el intelecto de los japoneses. Y fue con pesar que lo contemplé extendiendo una conquista por la fuerza, la cual inevitablemente hubiera llegado a su debido tiempo por su sola superioridad, y que hubiera penetrado Asia para gran beneficio de ésta sin la destrucción asociada con la precipitación que es la guerra.

Es mi creencia que el Oriente necesita a Japón, y que Japón todavía podría elevarse él mismo a un nivel de superioridad cultural tan imponente que la única conquista verdadera, la conquista mediante las ideas, la creatividad y la construcción podría efectuarse a lo largo de toda Asia, y que Japón es la sola y única esperanza de un Oriente manchado de sangre. Sería una recompensa amplia y adecuada por esos esfuerzos que he llevado a cabo si

Dianética demostrara ser un peldaño que llevara Japón por el camino de su establecimiento como el árbitro del destino de Asia.

La paz, para cualquier hombre de acción, es una cosa estúpida y hostil ya que conlleva una monotonía deprimente y sin cambio, y un estancamiento conformista y decadente. Fue a través del combate y su gusto por el conflicto que el hombre emergió del lodo de los pantanos y se convirtió en el rey de la Tierra. Y aquellos que hablan de la paz hablan sin conocimiento de la necesidad de acción inherente a los hombres. El combate y el conflicto, sin embargo, se vuelven indeseables cuando se expresan en términos del hombre en guerra con hombres. Las energías combativas del hombre tienen demasiados blancos como para que el hombre se entregue a la aberración social llamada guerra. El conflicto con otras formas de vida, tales como las bacterias, el conflicto entre el hombre y el espacio, el hombre y el tiempo, el hombre y la aberración, acarrean ganancias deseables en la capacidad del hombre para perseverar en su supervivencia. Vencer a los enemigos naturales del hombre y conquistarlos de tal modo que luego hagan encajar sus esfuerzos con el hombre, de manera que se fomenten tales conquistas naturales, es la dirección de la fuerza de combate que ha conducido al hombre al punto elevado que disfruta ahora. Y una continuación de la práctica de tales principios no puede sino elevar al hombre hasta unas alturas casi indestructibles. Así, uno puede ver que la conquista de Japón de sí mismo y, a través de su conquista acrecentada, de Asia, no es sólo factible, sino también deseable para los mejores intereses de la humanidad como conjunto. Su misión más efectiva sería devolver los pueblos aberrados y oprimidos de las tierras asiáticas a su propio destino. Y la mejor manera de hacer esto sería armándoles con conocimientos y cultura suficientes como para mantenerles en un entorno sumamente mejorado. A lo largo de semejante ruta yace la grandeza, una grandeza impoluta por la suciedad y vergüenza que es la guerra humana.

ダイアネティックス

"Dianética"

Estas cosas se las escribo a usted porque sé que estará pronto en Japón. En caso de que usted de alguna manera deseara comunicar mis sentimientos con respecto a esa Nación, tiene plena libertad para hacerlo. Como norteamericano, usted no podría malinterpretar mis sentimientos en relación a Asia. Considero que China se encuentra en un estado de desesperada confusión y delusión política, no muy diferente de los días de antaño cuando la conocí víctima de absurdas convulsiones internas, oprimida por la enfermedad, la inanición y la falta de ingeniería. La pérdida de la influencia japonesa en Oriente ya es responsable de mucha de la confusión asiática, justo como la precipitación de los señores de la guerra de Japón hizo posible que Rusia despojara a la nación que nosotros habíamos derrotado.

No estoy tomando postura política alguna, más allá de la franca afirmación de que creo en la libertad para la humanidad en su sentido más amplio, y que creo además que esta libertad es inalcanzable en tanto el hombre se tambalee bajo la carga aplastante de las aberraciones sociales. Un Japón derrotado y una China enloquecida son un grave riesgo para la salud de la humanidad en general.

Sus propios esfuerzos para ayudar al Doctor Kawabe no sólo son deseables, sino que probablemente serían vitalmente necesarios, ya que tal traducción requeriría por un lado de un conocimiento coloquial del inglés, y de un conocimiento del japonés coloquial por el otro. Además, usted expresa aquí una buena comprensión fundamental de las técnicas de Dianética, sin las cuales ningún traductor podría realizar una traducción útil. Me encargaré personalmente de enviarle a usted o al Doctor. Kawabe boletines de la Fundación tan pronto como sean publicados. Contienen mucha información y técnicas más plenamente desarrolladas que las que se expresan en el presente manual. Al incluirlas en la traducción japonesa, estos boletines volverían a la edición Japonesa mucho más actualizada que el manual existente. Dianética va muy rápido en su avance, y pasan pocos días sin que algo nuevo sea añadido a su repertorio.

En caso de que usted ayudara en la propagación japonesa de Dianética, puede que se encuentre usted mismo arrastrado por su ímpetu allí. Diluvios de cartas nos dicen que está propagándose como un reguero de pólvora a través de Estados Unidos. En caso de que usted se interesara en los aspectos de Dianética en Japón, tan pronto se me asegure sobre sus capacidades allá, puede que sea posible para nosotros crear un departamento japonés de la Fundación en Japón. Tal paso podría financiarse fácilmente con las regalías que se acumularían por la publicación del libro allá, y eso les daría a Dianética y al mundo el beneficio del trabajo inteligente y cuidadoso por el cual son famosos los científicos japoneses.

Le he contestado extensamente acerca de su aventura y su viaje japoneses, pero puedo darle muy poco en cuanto a consejos respecto a auditores en Dallas. Estamos formando auditores tan rápido como podemos, pero pasará mucho tiempo antes de que estén disponibles muchos profesionales. Sin embargo, tengo en los archivos un nombre de Dallas. No sé nada acerca de este caballero más allá del hecho de que nos envió una carta. Sin embargo, tal vez pueda ser de ayuda que le dé su nombre, el cual es John W. Sarber, PO Box, Dallas, Texas. Sarber, P. O. Box 7062, Dallas, Texas.

Esperando tener noticias suyas de nuevo y con todos mis mejores deseos por un viaje agradable.

Saludos Cordiales,
L. Ronald Hubbard

クリアー

ダイアネティックスでは、最適の状態にある人間を「クリアー」と呼びます。この言葉は名詞として、また動詞として、本書の中に繰り返し出てきました。そこでまず初めに、ダイアネティックス療法の目標であるクリアーとはどのようなものかを正確に説明しておきましょう。

クリアーを調べ、あらゆる精神病、ノイローゼ、強迫観念、抑圧など（どれも逸脱）の有無、また心因性の病気と呼ばれる自己発生的な病気の有無について見てみましょう。テストの結果からはっきりわかることは、クリアーにはそうした病気や逸脱が全く見られないということです。さらに知能検査の結果から、クリアーの知能は平均よりも高いことがわかります。行動面を観察してみると、活気に溢れた、満足の行く生き方を追求していることがわかります。

一方、これらのテスト結果は、比較によっても得られます。ノイローゼで心因性の病気を持っている人に同様のテストを行うと、逸脱や病気を持っていることがわかります。そこで、こうしたノイローゼや病気をクリアリングによって完全に取り除いていくために、ダイアネティックス療法を用います。最終的には、前述したクリアーと同じテスト結果が得られるでしょう。ちなみに、この実験は何度も行われ、常に結果は一定でした。神経

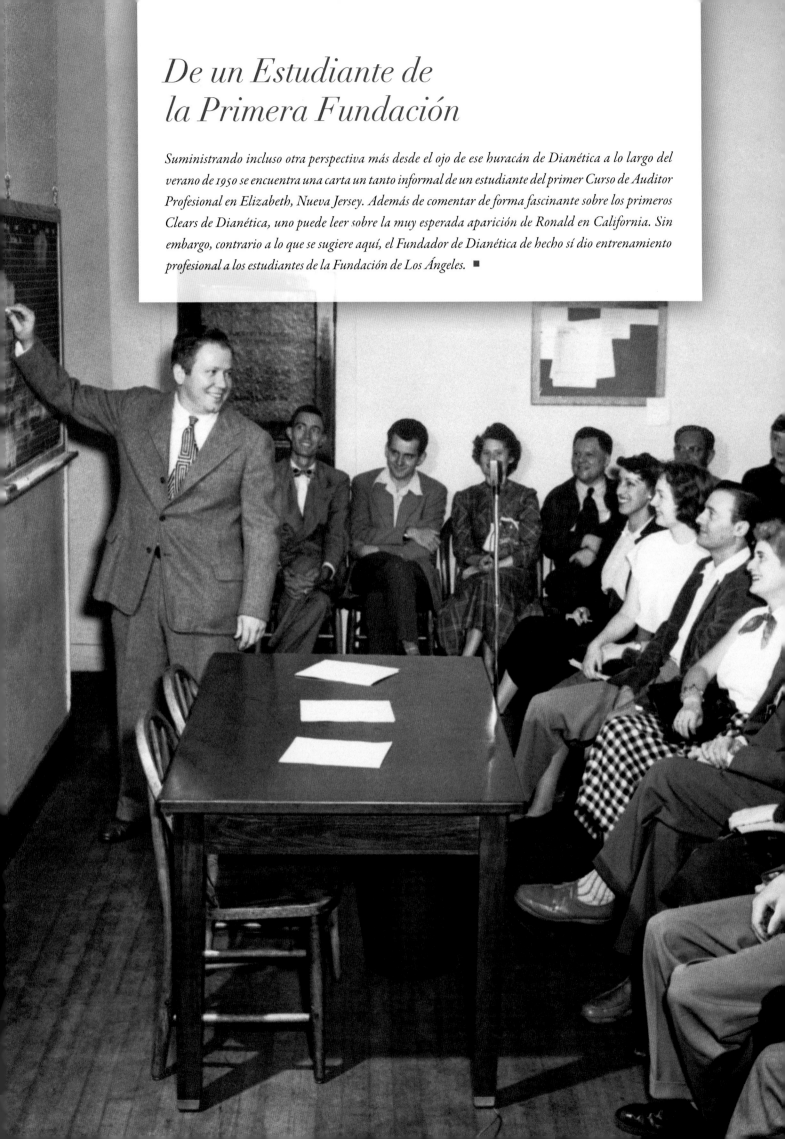

De un Estudiante de la Primera Fundación

Suministrando incluso otra perspectiva más desde el ojo de ese huracán de Dianética a lo largo del verano de 1950 se encuentra una carta un tanto informal de un estudiante del primer Curso de Auditor Profesional en Elizabeth, Nueva Jersey. Además de comentar de forma fascinante sobre los primeros Clears de Dianética, uno puede leer sobre la muy esperada aparición de Ronald en California. Sin embargo, contrario a lo que se sugiere aquí, el Fundador de Dianética de hecho sí dio entrenamiento profesional a los estudiantes de la Fundación de Los Ángeles. ∎

Hotel Park East
1065 East Jersey St. J.
7/8/50

Querido Charlie:

Dijiste que querías cualquier dato nuevo impreso tan pronto como saliera; es decir, sobre Dianética. Bueno, simplemente no ha habido ninguno; me refiero a impreso. Ese material que Brad Shank obtuvo por teléfono y mimeografió en Los Ángeles no es exactamente correcto. Nunca he visto un ejemplar de eso, he escuchado rumores de que Hubbard lo desaprobó. La razón de que todavía no haya salido nada impreso para su distribución general (incluso para nosotros en el curso profesional) es que han estado demasiado ocupados con el tremendo volumen de correo y llamadas telefónicas procedentes de *todo* el país, entrenando auditores y encontrando un lugar desde el cual actuar.

Cuando se publicó el libro Ronald jamás se imaginó una respuesta de esta clase. Nunca tuvo la intención (originalmente) de tener un curso para auditores ni una Fundación como ahora existe. Pero la respuesta le obligó a reunirse con John Campbell, el Dr. Winter, Don Rogers, Parker Morgan y Art Ceppos, y formar una Fundación. Les he conocido a todos; todos son gente buena. Sin embargo no he sido capaz de acercarme —o intimar— con John Campbell. Parece frío y poco cordial. Creo que está pasando por una reestimulación casi constantemente.

En fin, iban a comprar una gran finca para albergar la Fundación, pero algún sanatorio psiquiátrico cerca de ahí se opuso y lograron que los vecinos ejercieran presión sobre ello, etc.; así que no hubo trato alguno. Mientras tanto el correo y las llamadas telefónicas entran pero rápido. Así que todo el asunto se trasladó a la casa de Ronald; una casa grande en un distrito residencial muy bonito. Pero pronto se volvió demasiado pequeña y los vecinos también se quejaron: coches en las calles, etc.; así que lo desalojaron y esta misma semana todos nos hemos trasladado a la totalidad del cuarto piso del Edificio Miller, 275 Morris Avenue, Elizabeth. Además, Ronald está ocupado con toda clase de negocios misceláneos, tales como adquirir una casa en Nueva York para la rama de NY. Puede que el curso profesional se traslade allí el 15 de julio.

En fin, *no* han publicado nada más que la carta de impreso incluida en la presente.

Sin embargo, hay un montón de material nuevo que Ronald entrega en las conferencias. Tengo las grabaciones de la mayor parte de estas. Hay unos datos nuevos que se me ocurren ahora que *sé* que no están en el libro:

1) Ya no hay ninguna necesidad de hacer que la gente cuente para entrar en reverie; simplemente haz que cierren los ojos.

2) Básico-básico se considera ahora que es la secuencia del esperma.

Izquierda Estudiantes de la primera fundación
de Dianética, Elizabeth, Nueva Jersey, 1950

3) El mecanismo de autocontrol en la forma de circuito demonio es el caso más difícil. Esos somos tú, Van y yo. A propósito, me encuentro con que no tengo aquí la dirección de Van, así que por favor comparte esta carta entera con Van; y salúdamelos mucho a él y a Mayne.

Hay centenares más de cosas nuevas —algunas grandes, algunas pequeñas— no las puedo recordar ahora mismo, pero estaría encantado de contestar (u obtener la respuesta) a cualquier pregunta que tú o Van puedan tener sobre cualquier fase del tema.

A cambio de esto te quedaría sumamente agradecido si me hicieras el favor de darme algo parecido a un informe acerca de lo que está pasando en Los Ángeles en cuanto a lo siguiente: Dianética, Mesa redonda, Consejo de Coordinación (¿recibiste el cheque?) y chismorreo general. Pero sobre todo, infórmame sobre lo que anda haciendo Watkins y el curso de Auditación de Dianética que estoy planeando impartir.

Por cierto, antes de que se me olvide quiero aquí y ahora ofrecerles a ambos (y también a Van si quiere) un curso gratis si quieren asistir. Pero no le digan a nadie. Estoy completamente seguro de que Hubbard *no* ofrecerá un curso cuando vaya a Los Ángeles. También tengo la impresión de que le convencí para hablar a la Mesa Redonda; lo sabré más en concreto más tarde...

En cuanto al curso aquí, comenzamos el lunes (10 de julio) con una conferencia de hora y media a las 8 A.M. cada día (en vez de al mediodía como antes). Luego, a continuación de eso nos auditamos los unos a los otros, observamos a otros auditar y se nos observa en nuestra auditación por parte de auditores más experimentados.

He tenido algunas dificultades en hacer arrancar mi terapia. He tenido hasta ahora 19 horas y media de auditación, sin ningún básico-básico, aunque he experimentado bastante boil-off en el área básica...

Parece que un Clear no quiere avisar que es Clear hasta que haya más como él, de modo que no parezca un bicho tan raro y le hagan pruebas hasta morir, etc.

Más tarde 11 de julio...

Aquí tienes lo *primero* que ha salido de la imprenta; acaba de publicarse hoy mismo y fue hecho por uno de los estudiantes de aquí. Estoy logrando obtener algunas grabaciones muy buenas. Espero al menos que sean todas buenas. No he tenido tiempo de reescucharlas todas. Bueno Chas, a ver si tengo noticias tuyas. Saludos a Marie.

Atentamente,
Andy.

The Hubbard Dianetic Research Foundation
P. O. BOX 502, ELIZABETH, N. J.
ELizabeth 3-2951

THE HUBBARD DIANETIC RESEARCH FOUNDATION
ANNOUNCES THE OPENING OF THE

Los Angeles Department

TUESDAY, AUGUST 15, 1950

A professional course of one month's duration will be taught personally by L. Ron Hubbard. For course reservations and therapy, write P. O. Box 14,551, Los Angeles 4, Calif.

Cartas Generales de las Primeras Fundaciones

Aunque permaneció de forma simbólica miembro de las juntas de la primera Fundación, y carecía de autoridad en cuanto a la administración de esas Fundaciones, Ronald, sin embargo, tenía mucho qué decir acerca de cómo no se deberían administrar esas organizaciones: "Dianética ha tenido éxito de modo casi directamente proporcional al volumen de servicio que ha entregado al público, y de modo inversamente proporcional a los esfuerzos que las Fundaciones han hecho por ganar dinero". Sus cartas generales a estudiantes y miembros del personal de las Fundaciones de Nueva Jersey y Los Ángeles reflejan tales sentimientos y más. ■

LA FUNDACIÓN COMO UNIDAD DE SERVICIO PÚBLICO
22 de noviembre de 1950

Al principio, fue parte necesaria de las operaciones de la Fundación el financiarse a sí misma para llevar adelante a Dianética como organización y no como individuo.

Dianética es un avance totalmente norteamericano. Como parte de esa tradición, ha conservado su independencia en cuanto a carácter y ha tenido una naturaleza autónoma. Las primeras dificultades estaban relacionadas con el reclutamiento y entrenamiento del personal. Este obstáculo inicial se ha superado y ahora existe suficiente personal para formar unidades centrales de entrenamiento y tratamiento en lugares importantes...

Pocas personas se dan cuenta de la magnitud de Dianética o de la demanda de servicio que se le exige a la Fundación en términos de cartas, oradores gratuitos, consejos para casos de beneficencia. La Fundación ha intentado responder lo mejor posible a estas necesidades.

Necesitamos muchas cosas porque los Estados Unidos necesita muchas cosas. La razón por la cual Dianética ha sido tan exitosa es debido a que responde a una necesidad que no se ha atendido en Estados Unidos; el tratamiento exitoso de todas y cada una de las aberraciones y enfermedades psicosomáticas. Hasta que más gobiernos estatales y federales vean necesario subsidiar apropiadamente la Fundación, hasta el momento en el que el patrocinio de organizaciones tales como la Fundación Ford se haga disponible a la Fundación de Dianética, las contribuciones de ciudadanos particulares y la estructura financiera de la Fundación misma deberán llevar el peso. Esta no es una responsabilidad pequeña.

El observador casual pudo haber creído encontrar en los primeros días de la Fundación cierto mercantilismo. Una investigación de la contabilidad de la Fundación demostrará que los fondos recibidos por la Fundación se han utilizados de la mejor manera posible. Esa destreza, no fue significativa al principio por falta de administración y de una buena organización. Hemos hecho que nuestros fondos dieran lo máximo de lo que pudieran dar...

Absortos durante una conferencia de LRH en Los Ángeles, 1950

Tenemos las metas específicas de vaciar los manicomios y las prisiones, y de elevar el tono general de la nación para finales de 1951. Sin Dianética, tal sueño hubiera sido una tontería. Con Dianética, no sólo es posible, sino que ya se está logrando. El personal de las Fundaciones trabaja de doce a dieciocho horas al día para hacer que estos sueños sean realidad. Estamos dando toda la ayuda que podemos. Necesitamos toda la ayuda que podamos conseguir.

L. Ronald Hubbard

Izquierda La entrada de la Fundación
de Los Ángeles en 2600 South Hoover

MEMORÁNDUM DE LA ORGANIZACIÓN

27 de noviembre de 1950

DE: Sr. L. Ronald Hubbard

PARA: DIANÉTICA

TEMA: EXPANSIÓN

1. Una de las metas de Dianética es convertirse en una organización de servicio público, funcionando con costes mínimos para cualquiera. Tan pronto como las subvenciones del gobierno e individuales permitan esto, veremos a las Fundaciones expandirse aún más rápidamente. Se están creando, poniendo a prueba y verificando constantemente patrones de funcionamiento. Es deseable una estabilidad de organización, pero nuestra estabilidad en los años venideros se producirá únicamente en forma de una expansión estable. Es sobre estos cimientos que nuestra organización debería establecerse: que únicamente los cambios erráticos pueden causar confusión y que la expansión planificada conlleva estabilidad y un funcionamiento sin complicaciones.

2. La posesión más valiosa de Dianética es su personal, sus capacidades, iniciativa, experiencia y valentía personal. Tenemos que usar nuestro mejor personal donde está y no podemos ascenderle hasta que no tenga reemplazo. El ascenso de personal es inherente a la expansión ordenada. Para resolver este problema, se requiere que cada persona en Dianética encuentre, dentro o fuera de la organización, un reemplazo para ella misma y entrene a ese reemplazo en los detalles de su propio trabajo en previsión del momento (muy cercano) en el que el ascenso dejará una vacante en el puesto. Es cierto que algunos ascensos no serán posibles debido a falta de reemplazo. A ninguno nos gusta el desorden. Un funcionamiento sin complicaciones procede de la previsión. Entrena a la mejor persona que puedas encontrar para llevar el puesto que estás llevando. No te quedes parado por elegir y entrenar una persona incapaz o por no encontrar y entrenar a nadie.

    La administración actuará, en un máximo de treinta días a partir de esta fecha, basándose en la suposición de que cualquier persona que será ascendida o cambiada de puesto ha dejado en su lugar a una persona completamente cualificada y entrenada para llevar a cabo ese trabajo. El caos reinará si se actúa basándose en suposiciones para las que no hay fundamento.

L. Ronald Hubbard

Derecha Otra conferencia típicamente repleta
en Los Ángeles, en diciembre de 1950

WESTERN UNION

1220

W. P. MARSHALL, PRESIDENT

DOMESTIC SERVICE
Check the class of service desired; otherwise this message will be sent as a full rate telegram

FULL RATE TELEGRAM	SERIAL
DAY LETTER	NIGHT LETTER

INTERNATIONAL SERVICE
Check the class of service desired; otherwise this message will be sent at the full rate

FULL RATE	DEFERRED
CODE	NIGHT LETTER

NO. WDS.-CL. OF SVC.	PD. OR COLL.	CASH NO.	CHARGE TO THE ACCOUNT OF	TIME FILED

Send the following message, subject to the terms on back hereof, which are hereby agreed to

14 DE ENERO DE 1951 3 P.M.

DIANÉTICA HUBBARD
275 MORRIS AVE., ELIZABETH, N.
HACE UNAS SEMANAS FUI A KANSAS CITY PARA DESCUBRIR LO QUE NECESITABA
DIANÉTICA EN EL CAMPO. LO DESCUBRÍ ESPANTOSAMENTE RÁPIDO. NECESITABAN
MATERIAL DE VALIDACIÓN Y UNA COMUNICACIÓN MUCHO MÁS SIMPLE DE LA TÉCNICA
ASÍ QUE HE ACELERADO EL PROGRAMA DE VALIDACIÓN DE MODO QUE LA GENTE PUEDA
TENER EVIDENCIA Y AHORA USTEDES TIENEN UN FOLLETO PRELIMINAR Y HABRÁN
MUCHAS MÁS PRUEBAS A CONTINUACIÓN. DISEÑÉ UN NUEVO LIBRO CON NUEVAS
TÉCNICAS TAN SIMPLES QUE UN NIÑO PUEDE PRODUCIR CLEARS. ESTOY METIDO A
FONDO EN LA REDACCIÓN DE ESTE NUEVO LIBRO. QUIERO QUE LLEGUE A LA GENTE
RÁPIDAMENTE. EL LIBRO CONTIENE TRES NUEVOS MÉTODOS SIMPLES Y RÁPIDOS
DE ELIMINAR ENGRAMAS. UNO DE ELLOS ELIMINARÁ DE UNA PERSONA TODOS LOS
CANDADOS MAYORES EN VEINTICINCO HORAS. PUEDE ELIMINAR COMPLETAMENTE TODA
LA MALA AUDITACIÓN QUE HAYA TENIDO UN CASO EN DOS HORAS. OTRO COMENZARÁ
CASOS DE BAJA REALIDAD O INACCESIBLES RÁPIDAMENTE. UN AÑO DE ESTUDIO
DE LO QUE HIZO LA GENTE CON DIANÉTICA VA INCORPORADO EN LA REDACCIÓN DE
"DIANÉTICA: TÉCNICAS SIMPLIFICADAS DE LA CIENCIA DE LA SUPERVIVENCIA".
AHORA EL TEMA PUEDE EMPEZAR A AVANZAR DE VERDAD. AVERIGUA COMO HACER QUE
ESTE MATERIAL ESTÉ DISPONIBLE ANTES DE SU PUBLICACIÓN. PUEDE RESULTARNOS
CARO PERO LA GENTE LO NECESITA. OFRECE UN FOTOLITO DEL MANUSCRITO
ORIGINAL SIN IMPORTAR LO QUE CUESTE. TIENES QUE HACER LLEGAR ESTE
MATERIAL A LA GENTE RÁPIDO.
SALUDOS CORDIALES,
RONALD

A NEW
CURTIS
SERVICE
Telegraph your order for
Post, 1 yr., $6 • LADIES' H
for wire. Pay Western Un

Salón de Música en
Kansas City, Missouri, donde
L. Ronald Hubbard impartió una
conferencia en el otoño de 1950

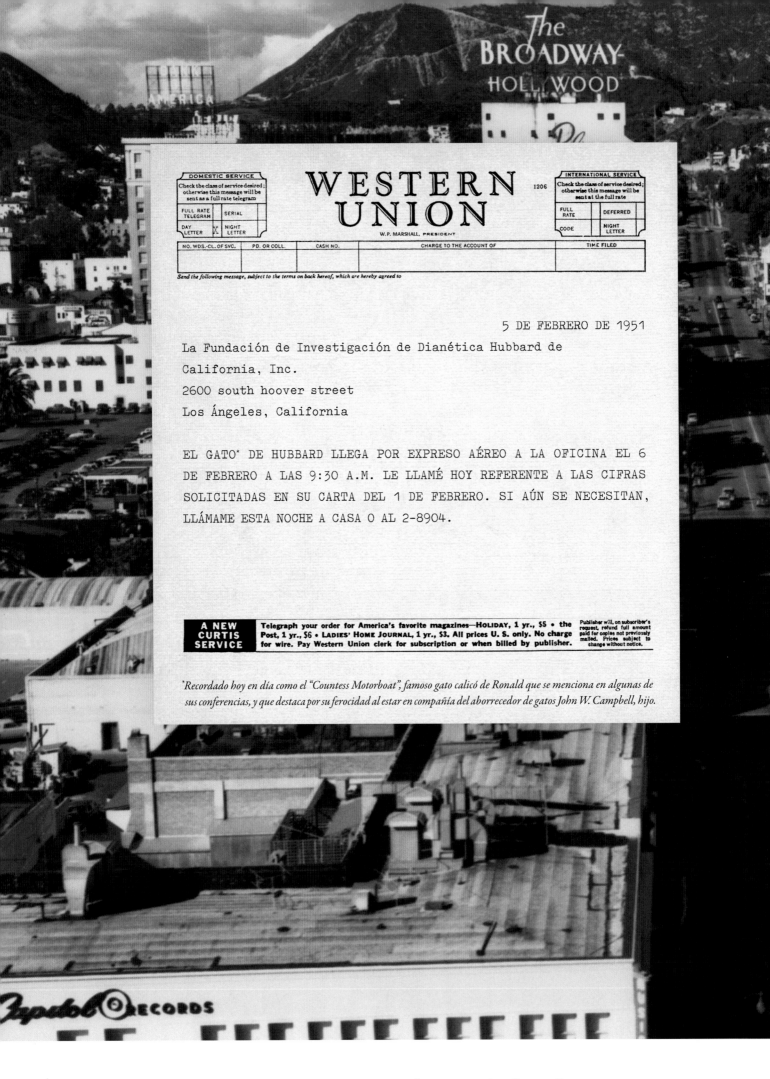

WESTERN UNION

1206

DOMESTIC SERVICE
Check the class of service desired; otherwise this message will be sent as a full rate telegram

| FULL RATE TELEGRAM | SERIAL |
| DAY LETTER | X NIGHT LETTER |

INTERNATIONAL SERVICE
Check the class of service desired; otherwise this message will be sent at the full rate

| FULL RATE | DEFERRED |
| CODE | NIGHT LETTER |

W.P. MARSHALL, PRESIDENT

| NO. WDS.-CL. OF SVC. | PD. OR COLL. | CASH NO. | CHARGE TO THE ACCOUNT OF | TIME FILED |

Send the following message, subject to the terms on back hereof, which are hereby agreed to

5 DE FEBRERO DE 1951

La Fundación de Investigación de Dianética Hubbard de
California, Inc.
2600 south hoover street
Los Ángeles, California

EL GATO* DE HUBBARD LLEGA POR EXPRESO AÉREO A LA OFICINA EL 6
DE FEBRERO A LAS 9:30 A.M. LE LLAMÉ HOY REFERENTE A LAS CIFRAS
SOLICITADAS EN SU CARTA DEL 1 DE FEBRERO. SI AÚN SE NECESITAN,
LLÁMAME ESTA NOCHE A CASA O AL 2-8904.

Recordado hoy en día como el "Countess Motorboat", famoso gato calicó de Ronald que se menciona en algunas de sus conferencias, y que destaca por su ferocidad al estar en compañía del aborrecedor de gatos John W. Campbell, hijo.

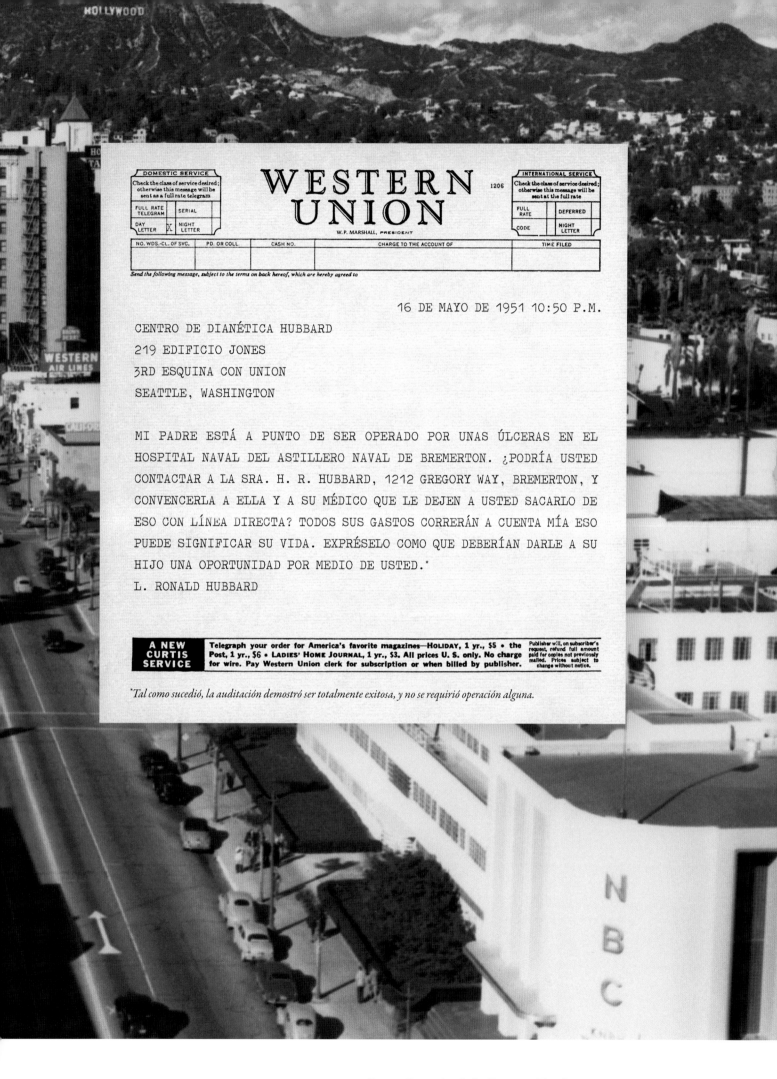

WESTERN UNION

1206

W. P. MARSHALL, PRESIDENT

16 DE MAYO DE 1951 10:50 P.M.

CENTRO DE DIANÉTICA HUBBARD
219 EDIFICIO JONES
3RD ESQUINA CON UNION
SEATTLE, WASHINGTON

MI PADRE ESTÁ A PUNTO DE SER OPERADO POR UNAS ÚLCERAS EN EL
HOSPITAL NAVAL DEL ASTILLERO NAVAL DE BREMERTON. ¿PODRÍA USTED
CONTACTAR A LA SRA. H. R. HUBBARD, 1212 GREGORY WAY, BREMERTON, Y
CONVENCERLA A ELLA Y A SU MÉDICO QUE LE DEJEN A USTED SACARLO DE
ESO CON LÍNEA DIRECTA? TODOS SUS GASTOS CORRERÁN A CUENTA MÍA ESO
PUEDE SIGNIFICAR SU VIDA. EXPRÉSELO COMO QUE DEBERÍAN DARLE A SU
HIJO UNA OPORTUNIDAD POR MEDIO DE USTED.*
L. RONALD HUBBARD

*Tal como sucedió, la auditación demostró ser totalmente exitosa, y no se requirió operación alguna.

Acerca de Vidas Pasadas

Entre las vías más significativas de investigación a lo largo del final de la década de los cincuenta, estaba la investigación de Ronald de los fenómenos de las vidas pasadas. El tema, desde luego, es extremadamente importante con respecto al continuo refinamiento de Dianética y de todo lo demás que siguió con la fundación de Scientology. En lo que respecta a esta pequeña y reveladora nota de diciembre, sin embargo, los hechos relevantes son éstos: a pesar de las docenas de dianeticistas que se estaban encontrando con evidencia respecto a vidas pasadas, aquellos que estaban al control de la Fundación de Nueva Jersey, incluyendo en primerísimo lugar a John W. Campbell, hijo, intentaron desalentar toda discusión sobre el tema argumentando que era inaceptable científicamente. (Freud y Jung descartaron el tema precisamente por la misma razón). Sin embargo, declarando que uno no puede arbitrariamente determinar lo que está o no está dentro de la mente humana, la investigación de LRH continuó como se comenta aquí. El único requisito: se requería a los participantes en el proyecto de vidas pasadas que proporcionaran su propio transporte hasta y desde la Fundación. ■

30 de diciembre de 1950

A CUALQUIERA QUE ESTÉ INTERESADO:

Para tener a mano un conejillo de indias mientras trazo un procedimiento estándar de una nueva técnica que aparecerá en mi próximo libro, y para tener un mensajero, se solicita un voluntario para estar con nosotros mientras el libro esté en desarrollo.

El caso del voluntario debería ser de bajo nivel de realidad, debe haber hecho pruebas psicométricas recientes y recibido poco o nada de procesamiento desde entonces, debe tener destreza en el procesamiento (en caso de que alguien en el centro turístico pida que yo lo procese) y debe ser capaz de recorrer vidas pasadas y debe ser capaz de conducir.

Se pagará alojamiento y comida durante el periodo en que se necesite al voluntario, probablemente de dos a seis semanas.

Se informa de manera específica al voluntario que él se está ofreciendo voluntariamente para un estudio de investigación, y que su caso puede llegar a perjudicarse, puesto que el estudio abarca, en parte, la reestimulación, pero no la reducción de engramas.

Cualquiera que esté interesado, que cumpla con estos requisitos y no le importe ser un mártir de la ciencia, que informe a Marian Adwin, mi secretaria, en la Oficina de Negocios, antes de las 9 de la mañana del martes.

L. Ronald Hubbard

1/2/51
Jan Webster

Ronald Hubbard

Requisitos para el conejillo de Indias:

    Bajo sentido de la realidad.

    Caso abierto y recorriendo poco.

    Buen auditor.

    Conductor con licencia de conducir.

    Todavía no es primordial que vaya a la Fundación.

✓ Haya recorrido muertes pasadas.

    Deseo cooperar de cualquier forma posible para incrementar nuestro conocimiento de la ciencia de Dianética.

    Gracias por su atención. Espero que me pueda utilizar.

Muy atentamente,
Jan Webster

Izquierda Casa de Ronald en el desierto de Palm Springs, California, donde llevó a cabo importantes investigaciones sobre la memoria de vidas pasadas

Dada la extraordinaria cantidad de terapeutas que abandonaron a Freud, Adler, Jung y otros, en pos de Dianética, muchas asociaciones de psicoterapia pronto expresaron preocupación; y cosas peores. Como respuesta, LRH redactó su concisa explicación de la teoría de Dianética, "Los Argumentos a Favor". Ha sido reimpresa de un ya desaparecido pero por aquel entonces popular diario de psicología llamado: Por qué.

DIANETICS

THE MODERN SCIENCE OF MENTAL HEALTH

A HANDBOOK OF

DIANETIC THERAPY

L. RON HUBBARD

LOS ARGUMENTOS A FAVOR

por L. Ronald Hubbard

L A PUBLICACIÓN DE *Dianética: Un Manual de Terapia de Dianética* culmina una veintena de años de investigación y de aplicación intensiva. Probada en una serie de 270 casos al azar, la nueva ciencia produjo 270 personas rehabilitadas, gente que había estado sufriendo, en el campo de la medicina psicosomática, artritis, asma, dificultades coronarias, alergias, sinusitis, migrañas y muchas cosas más; y mentalmente de psicosis, neurosis, compulsiones y represiones.

A primera vista, la llegada de Dianética al escenario del conocimiento humano puede parecer repentina y sorprendentemente abrupta. Una indagación más profunda demuestra que muchos, muchos años de trabajo paciente y cuidadoso se dedicaron al tema antes de esa publicación, y que la ciencia misma se posibilita solamente mediante los pensamientos y descubrimientos de hombres pensantes. Desde el sacerdote védico más antiguo, a lo largo de las especulaciones de los antiguos griegos, pasando por las filosofías de Lucrecio, Bacon, Jefferson y Spencer, a lo largo de las investigaciones de Breuer y Freud, un amplio rastro de hechos descubiertos condujo a un punto donde un solo descubrimiento podía cristalizar el campo entero de la mente como un conjunto unificado y funcional.

Con los enormes antecedentes de lo que pueden ser cincuenta mil años de pensamiento, el descubrimiento de la naturaleza real de la mente "inconsciente" entregó lo que ha demostrado ser una ciencia exacta para el uso de la humanidad y la solución de diversas dificultades que acosan a las personas.

Se descubrió que la mente humana está compuesta por dos niveles distintos de capacidad. Se descubrió que la mente "consciente" es una computadora infalible, inherentemente capaz de producir invariablemente soluciones correctas en la medida en que sus datos sean correctos. Sin embargo, bajo esta mente "perfecta" se descubrió otra mente. Sospechada desde hace mucho, la submente nunca había sido identificada científicamente, ni se habían comprendido sus mecanismos exactos.

Se descubrió que la mente "inconsciente" era la mente que *nunca* estaba "inconsciente". Sólo la mente consciente podía quedarse "inconsciente". Cuando estaba influenciada por la anestesia, como en operaciones o shock, enfermedades o accidentes que causaban "inconsciencia", se descubrió que la mente consciente suspendía temporalmente su actividad. Era entonces suplantada por una mente de la cual ella nunca había sido consciente, una submente a nivel celular, la cual grababa con tremenda exactitud todo lo que ocurría mientras la mente consciente estaba inactiva. La submente graba sonido, vista, palabras, tacto, olfato y dolor.

Un vestigio evidente de una época pasada en el desarrollo humano, la submente busca regular el comportamiento del cuerpo a un nivel de estímulo-respuesta. Cuando el cuerpo no obedece las órdenes implantadas en él, la submente entonces dirige el contenido de dolor contra el cuerpo. Como esta mente no puede "pensar", sino sólo puede mandar, logra fácilmente su imbécil propósito de llevar a una persona a la locura en el peor de los casos o a errores aberrados en el mejor de ellos. Cuando el organismo se niega a obedecer estas órdenes, la submente inflige el dolor, el cual luego se convierte en enfermedad psicosomática.

Las órdenes de esta submente son declaraciones hechas alrededor de una persona cuando esta se encuentra inconsciente a causa de anestesia, una herida, una enfermedad o un shock. No hay ningún otro contenido en esta mente.

Este descubrimiento llevó a un encaje preciso de datos acerca de la mente e hizo posible reevaluar teorías anteriores y seleccionar de entre los miles de millones de elementos que el hombre había recolectado acerca de su mente aquellos hechos que eran útiles. El resultado fue una ciencia exacta: Dianética.

Dianética se pone a prueba y comprueba con facilidad en cualquier clínica o laboratorio. Se le ha corroborado en universidades. Como sus resultados en el campo de la terapia son amplios y permanentes, ha logrado el apoyo de todos aquellos que la han investigado concienzudamente, y ha sido rechazada sólo por aquellos que han sido reacios a examinar el material.

La práctica de la terapia de Dianética carece completamente de autoritarismo y es relativamente simple. Los requisitos más importantes son:

1. Inteligencia

2. Una revisión cuidadosa de los contenidos del Manual.

Por simple no queremos decir *fácil*. Requiere trabajo, pensamiento y observación. La terapia de Dianética sigue las leyes naturales de todos los procesos de aprendizaje, ya que Dianética es un proceso de aprendizaje.

EXCLUSIVE: What Drove Forrestal to Suicide?

25c
November

Why

ANC

the magazine of popular psychology

STOP PUNISHING YOURSELF
by Dr. David Fink

CAN DIANETICS HELP YOU?

THE MEN KINSEY FORGOT:
Transvestites

SEX CAN GET UNDER YOUR SKIN

WHERE TO TAKE YOUR TROUBLES

DON'T TRUST YOUR NIGHT THOUGHTS

THE TRUTH ABOUT PSYCHOANALYSIS

THE CASE OF THE BEAUTIFUL KLEPTOMANIAC

UNDERSTANDING THE FAKE HEART ATTACK:
A Case History

Self-Analysis Guide
Problem Clinic • Psycho-Photos
True Psychiatric Case Histories

Complete Book Digest

B. W. Overstreet's How to Think About Ourselves

Cualesquiera dos personas de inteligencia razonable pueden trabajar juntas. No puede hacerse a solas. Básicamente la técnica funciona de la siguiente manera: se le pide al paciente que cierre los ojos y vuelva a diferentes experiencias a lo largo de su línea temporal (el lapso de tiempo del individuo desde la concepción hasta el tiempo presente, sobre el cual reside la secuencia de los sucesos de su vida) y que informe de sus observaciones.

Sus declaraciones de lo que esté pasando son la clave para hacer key-in al incidente exacto y para el repaso de todas las condiciones existentes del incidente, las cuales, si son aberrantes, están manteniendo a la persona o a una parte sustancial de su personalidad atorada en el pasado. Después de repasar todas las condiciones grabadas (a nivel celular) el dolor (tensión, ansiedad, etc.) pierde intensidad y el incidente se vuelve parte del banco de la experiencia consciente del individuo, permitiéndole así el uso de más de sí mismo.

"Se descubrió que la mente 'consciente' es una computadora infalible, inherentemente capaz de producir invariablemente soluciones correctas en la medida en que sus datos sean correctos".

Este proceso se continúa a lo largo de la línea temporal hasta que todos los incidentes aberrantes o dolorosos pierdan intensidad. No es necesario cubrir cada fase de la existencia de uno, ya que se ha descubierto que muchos incidentes están interconectados. Cuando se contacta con un incidente básico y se le resta intensidad, el resto de la cadena se desintegra.

El tratamiento de enfermedades psicosomáticas graves, psicosis y neurosis extremas se maneja con terapeutas profesionales, los cuales puede que sean médicos, psiquiatras y demás, que se han entrenado específicamente para manejar cualquier emergencia que pueda surgir.

En resumen, se puede afirmar que Dianética, además de ser una ciencia mental para el anormal, es primordialmente una ciencia mental para el *normal*. *Ronald*

CAPÍTULO CUATRO

Cartas a un
MONOPOLIO
DE SALUD MENTAL

Cartas a un
Monopolio
de Salud Mental

D ADO TODO LO QUE DIANÉTICA REPRESENTABA COMO UN desafío verdaderamente popular a un monopolio de salud mental, y dado también, cuán completamente L. Ronald Hubbard había censurado los métodos de ese monopolio —terapia electroconvulsiva, psicocirugía y sedación masiva— el choque era probablemente inevitable.

Si la historia ya se ha contado, la secuencia general merece ser contada de nuevo. En la segunda semana de mayo de 1950, se montó un esfuerzo típicamente clandestino por incorporar el tema a un programa naval estadounidense recordado hoy como el Proyecto Chatter (Cháchara). Descendiente directo de la experimentación nazi en el campo de concentración de Dachau, el proyecto implicaba la alteración por la fuerza del comportamiento humano para fines expresamente políticos. El modo preciso en que iba a emplearse Dianética no queda claro. Pero suponiendo que uno poseyera los medios para liberar el pensamiento humano, entonces, forzosamente uno también poseería un medio para lo opuesto; es decir, "para hacer a los hombres más sugestionables". En cualquier caso, LRH se negó de modo natural y categórico. Como respuesta, un tal Dr. George N. Raines, entonces psiquiatra principal del instituto médico naval en Bethesda, Maryland,

dio instrucciones a sus colegas para que condenaran Dianética como curanderismo; o como Raines lo formuló específicamente, deseaba que se condenara en general a Dianética como "puras estupideces".

Se podría decir mucho más: cómo un grupo psiquiátrico secreto empleó agencias de seguridad federales para infiltrar las primeras Fundaciones; cómo publicaciones interconectadas —*Time* y *Life*,

Abajo
Instituto Médico Naval de Estados Unidos, Bethesda, Maryland, donde se llevaban a cabo experimentos psiquiátricos secretos alrededor de 1949

Izquierda Reunión con reporteros del LA *Daily News* en la Fundación de Dianética de Los Ángeles, septiembre de 1950

por ejemplo— fueron dirigidas para socavar el entusiasmo público por Dianética; cómo un agente de la Asociación Psicológica Americana intentó subir a la fuerza a L. Ronald Hubbard a un avión bimotor en la pista de aterrizaje de Clover Field en Santa Mónica y transportarle a la Clínica Menninger en Topeka, Kansas, para un "tratamiento" psiquiátrico punitivo. También hay todo lo que se podría decir acerca de las cuestiones sociopolíticas más generales, y todo lo que representaba Dianética para un complejo militar-industrial inclinado a lo que se ha descrito eufemísticamente como "adoctrinación masiva por motivos de seguridad nacional".

Pero yendo bastante más directamente al grano, están los temas tratados en la réplica de Ronald al popular psicólogo Rollo May, y su "Desafío a los Psiquiatras". En cuanto a un comentario sobre lo primero, la reseña de *Dianética* por Rollo May era típica de la crítica psicológica/psiquiátrica de entonces. A pesar del hecho de que May nunca realmente examinó *Dianética,* el también la proclamó efectivamente como "puras estupideces" según la línea de partido de George Raines. Mientras tanto, cansado del partido de ping-pong, LRH arrojó el guante con su crucial desafío.

Aunque ni los Menninger en particular, ni la psiquiatría en general emitieron una respuesta formal, los archivos de la Asociación Psiquiátrica Americana están llenos de memorándums acerca de cómo ese reto se podría soslayar discreta y delicadamente. Luego también, y como veremos, todavía hubo más discusión sobre cómo se podría enterrar a Dianética de modo permanente por la pequeña suma de seis mil dólares. ∎

Cartas al Editor
El Punto de Vista de Hubbard

AL EDITOR:

¿Podría pedirle, por favor, a Rollo May, quien hizo la reseña de "Dianética", que se lea el libro? Publicar semejante reseña le da al público una idea muy desequilibrada de lo que el mundo profesional piensa de Dianética. Hombres menos emocionales que Rollo May han examinado y probado Dianética.

Profesores de biología, ciencias políticas, sociología, psicología y física han sometido Dianética a un examen imparcial y justo, y han descubierto en ella algunas de las respuestas que habían buscado desde hace mucho. Pero sus opiniones, como debería ser el caso con hombres de ciencia, estaban basadas en una investigación y aplicación sólidas de la ciencia, y no pervertidas por emocionalismos respecto a sus propias economías.

La evidencia más patente de que May no estudió el tema antes de escribir su reseña estriba en su confusión de Dianética con una concepción mecánica de la mente humana. Nadie, en ninguna parte del manual de Dianética etiqueta a la mente humana como una máquina. Me temo que aquí May no es consciente de la burla que Dianética les ha echado encima a aquellos que siempre creen que la mente humana era demasiado compleja

para entenderse. Una declaración de que el tema de la profesión de uno es demasiado complejo para ser comprendido es una admisión de que uno no tiene ninguna comprensión de su tema, y parece ser que May en su reseña se declara a sí mismo y a la psicología incapaces de comprender o ayudar en el campo de las humanidades. Aquellos que operan bajo el postulado básico de que el tema de su profesión no se puede comprender, están operando desde una psicología derrotista.

Respecto a un tema tan cuidadosamente formulado y tan extensamente comprobado como Dianética, se esperaría que un hombre de ciencia normalmente llevaría a cabo algo de investigación antes de expresar opiniones. Si él no puede obligarse a llevar eso a cabo, entonces está operando bajo un emocionalismo que en sí mismo invalida su precisión científica.

De médicos, psiquiatras y profanos, la Fundación de Investigación de Dianética Hubbard está recibiendo miles y miles de cartas, las cuales declaran que Dianética se ha comprobado y descubierto que es válida, que hace precisamente lo que dice que hace. Las cartas que manifiestan desprecio están en una proporción de una por cada 505 cartas de aprobación. Se reporta que enfermedades y aberraciones mentales hasta ahora intocables para cualquier arte pasado están rindiéndose ante las técnicas de Dianética. En caso de que usted se molestara en inspeccionar el tema, descubrirá que ni una sola persona que se entregue a una expresión de opiniones caprichosas y superficiales ha leído completamente, estudiado cuidadosamente ni aplicado Dianética.

L. Ronald Hubbard
Elizabeth, N. J.

Fundación de Investigación de Dianética Hubbard

275 Morris Ave., Elizabeth, N. J.

ESPECIAL: PARA SER PUBLICADO EL LUNES 12 DE FEBRERO DE 1951

EL FUNDADOR DE DIANÉTICA
PROCLAMA UN DESAFÍO A LOS
PSIQUIATRAS

Declarando que está cansado de poner la otra mejilla y de quedarse como el único caballero en lo que sus detractores han convertido en una trifulca pública, L. Ronald Hubbard, escritor y fundador de la nueva ciencia de salud mental, Dianética, hoy arrojó el guante mediante la proclamación de un desafío a los Drs. Menninger en particular y a la profesión psiquiátrica como totalidad.

Consciente desde hace mucho de que la oposición organizada, indebidamente alarmada por la propagación fenomenal de Dianética, le ha estado atacando "desde las bambalinas y desde detrás del blindaje de su inmunidad profesional", incluso incitando a acción legal contra la propagación del conocimiento de Dianética, Hubbard le ha escrito la siguiente carta a la Clínica Menninger en Topeka, Kansas, a la Asociación Psiquiátrica Americana, y al Comité de Avance Psiquiátrico de Nueva York:

"Los Drs. Menninger y otros representantes explícitos del campo psiquiátrico han emitido afirmaciones tan injustificadas y sin fundamento en contra de Dianética, no teniendo sino un escaso conocimiento del tema, que la Fundación de Investigación de Dianética Hubbard se ve obligada a someter lo siguiente para su más pronta aceptación:

"Si dos jueces imparciales seleccionaran dos personas neuróticas, sin consejo ni de Psiquiatras ni de Dianeticistas, nuestra Fundación los entregaría con gusto en manos de psiquiatras por una semana, con pruebas psicométricas previas y posteriores de la más estricta naturaleza. A partir de ahí nuestra Fundación les dará procesamiento de Dianética por una semana, con pruebas psicométricas idénticas. Si las pruebas psicométricas resultantes probaran que Dianética no ha hecho uniformemente más por estas personas que la psiquiatría, el Sr. Hubbard estará perfectamente dispuesto a retirar su libro 'Dianética', y a admitir que Dianética no es mejor que la psicoterapia.

"Esta prueba decisiva la ofrecen con toda sinceridad el Sr. Hubbard y nuestra Fundación".

Dianética cobró existencia en mayo pasado, luego de la publicación del libro de ese título por L. Ronald Hubbard, quien había estado investigando sobre el tema durante doce años. El libro se convirtió en un best seller inmediato en el campo de la no ficción, y el enorme

interés de sus lectores, tanto profesionales como no profesionales, llevó a la creación de la Fundación de Investigación de Dianética Hubbard, una corporación sin ánimo de lucro, en Elizabeth, Nueva Jersey, donde residía Hubbard. Posteriormente, a instancias de muchos que vinieron a estudiar bajo Hubbard, se abrieron fundaciones filiales en Nueva York, Chicago, Washington D. C., Los Ángeles, Kansas City y Honolulu. Alrededor de 150 grupos y centros no profesionales de Dianética también se formaron espontáneamente en Estados Unidos, Canadá, Inglaterra, Escocia, Australia, Suiza, Suecia, Dinamarca, Finlandia, Francia, Perú, Guatemala y las Antillas. Se estima que de forma profesional o de otra manera, hoy en día hay más de un millón de personas que están involucradas en la práctica de Dianética por todo el mundo.

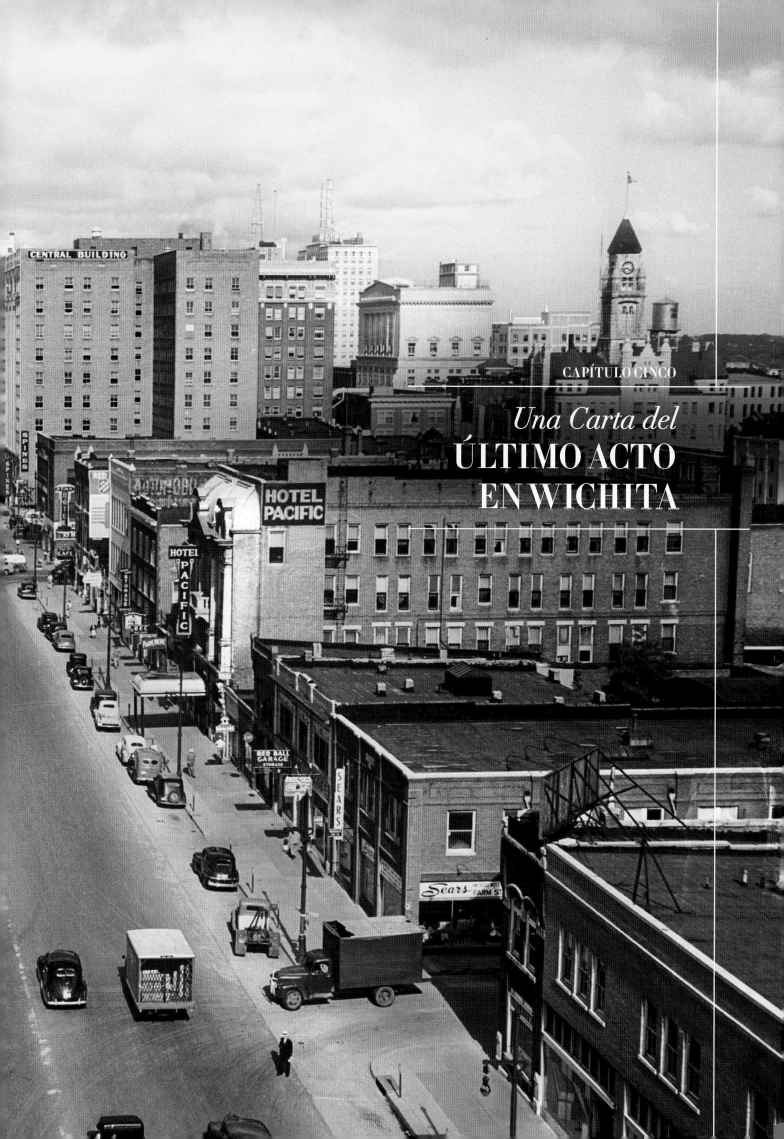

CAPÍTULO CINCO

Una Carta del
ÚLTIMO ACTO
EN WICHITA

Una Carta del
Último Acto
en Wichita

HABIENDO COMPLETADO UN SEGUNDO TEXTO SOBRE Dianética, *La Ciencia de la Supervivencia,* a mediados de 1951, Ronald aceptó una invitación aparentemente generosa para encabezar una Fundación de Dianética unificada en Wichita, Kansas. El que cursó esa invitación fue un empresario petrolero ambiguo de Wichita llamado Don Purcell.

El nombre apareció inicialmente en una de las siete mil cartas recibidas a lo largo del verano anterior. Estudiantes de la primera Fundación en Nueva Jersey también recuerdan a este Don Purcell, pues ahí fue donde apareció brevemente en busca de ayuda profesional. Pero su oferta, a finales de abril, de proveer a L. Ronald Hubbard con una Fundación económicamente independiente y con todo lo demás necesario para el avance de Dianética, era algo totalmente sin precedentes.

El arreglo básicamente disponía que LRH llevara a cabo investigación e impartiera conferencias a cambio de un salario justo, mientras que Purcell atendería a los asuntos financieros; incluso asumiría las deudas de la insolvente Fundación de Elizabeth. En lo que equivalía a una pequeña formalidad, Purcell iba a asumir además un control nominal sobre los derechos de autor de Dianética, pero sólo durante un periodo limitado.

Inicialmente todo marchó según lo descrito. Los dianeticistas soltaron amarras con Nueva Jersey, Chicago, Nueva York y Los Ángeles, y LRH comenzó la instrucción en un salón elegantemente amueblado de la Avenida West Douglas. Mientras tanto, continuó la investigación en aquel reino de fascinación sin par de los fenómenos de las vidas pasadas, lo cual se relata hoy en *Scientology: Una Historia del Hombre.* Luego, sin el menor aviso, se dio por finalizada esta época con un anuncio de bancarrota a media tarde.

Los detalles son complicados, pero en interés de la simplicidad, lo sucedido fue esencialmente lo siguiente: resultó ser una afirmación falsa, pero Purcell aparentemente había hundido a su Fundación de Wichita en la bancarrota. LRH, a su vez, se encontró él mismo siendo blanco de varios mandatos judiciales y exigencias de patrimonio, aunque, como él lo expresó concisamente: "Ellos obviamente no quieren mi coche o mi dinero en efectivo.

Una conferencia temprana sobre las técnicas avanzadas de auditación en la Fundación de Dianética en Wichita, Kansas, 1951

Y ellos obviamente quieren mis derechos de autor, el nombre HUBBARD, la palabra DIANÉTICA y los procesos de Dianética... Y esto obviamente no es ninguna bancarrota, sino una intriga para ponerme en tal aprieto y hacerme tanto daño que me vea forzado a darles todo lo que quieren".

Y eso era verdad; cada palabra. Por haber tenido éxito en su acción de sumir a la corporación en la bancarrota, Purcell casualmente firmó un cheque por 6,124 dólares y compró quince sillas de roble sin brazos, trece sillas de brazos, diecinueve tinteros y plumas, diez mil ejemplares de *La Ciencia de la Supervivencia* —y por los mismos seis mil dólares— los nombres y derechos tanto de Dianética como de

L. Ronald Hubbard. Adicionalmente (e incluso de modo más pertinente), Purcell recibió además unos cincuenta mil dólares muy misteriosos de un fondo no revelado médico/psiquiátrico para corruptelas.

Así es que, en una curiosa e increíblemente brillante respuesta, tenemos la carta irónica sobre "los últimos números de la ópera cómica", que Ronald escribió. Con fecha en la primavera de 1952 y dirigida al tribunal en Phoenix, Arizona, donde fundó un nuevo Instituto Hubbard (por no mencionar Scientology). Finalmente tuvo el efecto deseado y todos los derechos de autor y marcas registradas pronto estuvieron de vuelta con L. Ronald Hubbard. ■

Science of Survival

SIMPLIFIED, FASTER DIANETIC TECHNIQUES

by L. Ron Hubbard

UNO DE LOS ÚLTIMOS
ACTOS DE LA OPERA CÓMICA

El 10 de mayo recibí una carta diciendo que más me valdría pagarle una plata a un tipo llamao Purcell en Wichita, y que más me valdría pagarlo pa' el 13. Bueno, yo sabía que no le debía esa plata, pero mi casa en Wichita fue revuelta y el papel que decía que yo no lo debía fue robao, y yo sabía que había un pagaré con mi nombre en él firmao el pasao 'toño.

Y se lo conté a mi abogao y él dijo que haría algo al respecto, pero esta firma que me escribió la carta, con el nombre de Evans y Hull y tal, dijo que la susodicha epístola había sido firmada por un tal Boland. También me dijo que ya habían presentao demanda en el tribunal de instancia superior y que eso era malo pa' mi reputación y mis asuntos.

Y el 16 de mayo este tal Boland le entregó un mandato judicial a mi abogao, pero supongo que Boland necesitaba de un proceso, no yo, porque Boland, tan pronto acabó de hablar con mi abogao, me llamó y me dijo que ahora me tenía atrapao y que todo esto de deber un pagaré y tal era criminal y que más me valdría ir a su oficina de inmediato o pasaría algo malo, así que fui. Y él dijo que no llevara a ningún abogao ni nada, así que no lo hice.

Y entré allí y este tal Boland estaba en una oficina en las oficinas de EVANS KITCHEL HULL y tal, una firma de abogaos que ahora no es tan firme, y este Boland me mostró un pagaré y de lejos parecía ser mi pagaré. Y este Boland no tenía a nadie con él, pero yo tenía conmigo un par de amigos, y me alegro porque tengo los testigos a mi favor porque este Boland fue muy brusco y dijo que tenía algunas demandas más y que si no pagaba el pagaré ahí mismo presentaría una demanda y conseguiría una orden judicial y me arruinaría, y que si yo le pagaba me daba ese pagaré que estaba agitando en el aire, pero que si no le pagaba había cargos criminales de sobra y que al menos lograría poner a la sombra a uno de mis socios.

Y supongo que me quedé muy desconcertao, porque simplemente le di un cheque y le dije que tendría valor el martes siguiente y él dijo OK y le di todo lo que yo pensaba que tendría en el banco pa' el martes 20, y además unos sesenta dólares en efectivo, y este tal Boland dijo: "Ahora, cuando yo tenga el efectivo usted podrá tener este pagaré", y él ya tenía mi cheque. Pero yo tenía testigos, y dije que más le valdría darme el pagaré.

Bueno, este tal Boland parecía muy molesto, pero yo seguí diciendo que tenía que entregarme el pagaré, y así al final escribió en él lo que yo había pagao y lo firmó. Y me lo dio y dijo que retiraría la demanda y demás en contra mía, pero que no fuera yo alardeando por ahí contándole a la gente al respecto o mostrando el pagaré por ahí, y que más me valdría quemarlo pa' que no pudiera perderlo.

Así que solté la punta de mi cheque de cuatro mil dólares cuya punta había estao sosteniendo, y salí a la calle donde había mejor luz y miré este pagaré y MALDITA SEA, esa no era mi firma.

Y tomo este pagaré y lo miro con cuidao y maldita sea, no tiene la fecha correcta, sino una posterior a la fecha correcta. Así que voy a uno de estos tipos, expertos calígrafos que analizan firmas y se lo doy y voy al teléfono y trato de llamar a este tal Boland, pero no hay manera de contactarlo. Y así que en nombre del orden público pongo paro a ese susodicho cheque que di porque de donde vengo yo hacer pasar documentos que han sio falsificaos por documentos válidos es falsificación o falsificación grave o práctica fraudulenta y está pero que muy mal visto.

Y eso fue pa' mí una tremenda sorpresa, siendo este tal Boland parte de la firma de EVANS HULL KITCHEL Y JENCKES, y teniendo ellos las cuentas bancarias y siendo los abogaos del SOUTHERN PACIFIC RAILROAD (FERROCARRIL DEL PACÍFICO SUR) y de un montón de compañías que estoy buscando de modo que pueda mencionarlas pa' mostrar lo sorprendido que estaba yo con la falsificación.

Y a la mañana siguiente voy al banco como primera cosa tan pronto como se abrieron las puertas y llevo dinero conmigo; a saber: 880 dólares pa' depositar, simplemente pa' asegurarme muy bien de que hubiera toda la plata necesaria en el banco cuando se presentase el susodicho cheque, porque he oído que es ilegal no tener plata pa' cubrir el importe del cheque.

Pero aquí estaba este tal Boland y supongo que entró por la ranura del buzón o a través de las grietas, porque ya estaba soltándole el rollo al director del banco acerca del cheque, aunque me había prometido esperar hasta el martes. Y este tal Boland se ve preocupao.

Y este tal Boland me ve y viene directamente a mí y me dice de manera muy amenazadora que si no le quito el paro al cheque me va a hacer la vida totalmente imposible. Y yo le pregunto si está seguro de que el pagaré es genuino, y él dice que eso no tiene nada que ver, que más me valdría darle el dinero o me pondría en muchos aprietos como demandarme por difamación e incluso meter a uno de mis socios, llamao ELLIOTT, a la cárcel antes de la puesta del sol por algún tipo de cargo, tal como ROBO GRAVE o cualquier cosa. Y yo digo que ELLIOTT tendría que ser culpable de algo antes de que se le pudiera arrestar, y que él no es culpable de nada excepto la imprudencia de ser mi socio cuando andan sueltos tipos como Boland. Y este Boland dice que él puede hacer cualquier cosa. Dice que Purcell dice que es dueño de la policía de Wichita y que Boland controla a la policía de Phoenix y que pueden hacer cualquier cosa y que ningún tribunal es lo suficientemente grande pa' pararlos. Y yo digo que no puedo creerme eso.

Bueno señores, efectivamente, este tal ELLIOTT estaba en la cárcel la siguiente noche y justo como dijo Boland. Una llamada de Wichita llega a la policía de Phoenix y había habido una orden de detención pa' Elliott de la que nadie sabía nada y justo ahora ZAS, se le entrega la orden justo como Boland predijo. Y Elliott tuvo que pagar la fianza y retuvieron su coche y yo no puedo entender porque inculparon a Elliott por robar unas cosas que puedo demostrar por escrito que son por completo mías, pero dicen que no son mías ahora porque Elliott las robó, pero Elliott no pudo haberme robao porque lo mío es suyo de todas maneras.

Pero llega el lunes, 19 de mayo, y este tal Boland ha llegao de un salto al tribunal con este cheque al que se le ha puesto paro, aunque se le haya puesto al tanto de que no me gusta el hecho de que me esté endilgando una falsificación a cambio de dinero norteamericano Y un cheque; y a Elliott le tomaron las huellas digitales, pero más tarde logramos que alguien en Wichita investigara, y caramba, la policía de Phoenix tuvo que devolverle la fianza a Elliott y su coche y sus huellas digitales y todo, así que Elliott se libró de esta. Pero este tal Boland, da saltos por ahí y me dice por teléfono que la cosa no queda ahí. Que me va a demandar por todo lo que se le ocurra porque la tal firma de EVANS, HULL KITCHEL Y JENCKES, que ha sido contratada por tantas grandes compañías como el FERROCARRIL DEL PACÍFICO SUR y demás (yo estoy completando una lista de modo que la sepa y pueda impresionarme más), este Boland dice que son dueños de los polis y del sheriff y que más me valdría hacerme de dinero en efectivo o seré el siguiente al que arresten con base en cualquier cosa que se les ocurra.

Y le empiezan a dar órdenes a mi abogao y están muy desmandaos. Y pa' mi todo esto es muy confuso porque me parece que este Boland y EVANS etc., a los que contratan tantas grandes firmas como el FERROCARRIL DEL PACÍFICO SUR, ni siquiera así pueden ser la ley en Arizona. Y parece que cuando la gente falsifica pagarés y amenaza y toma dinero por documentos falsos y mete miedo a la gente y usa la amenaza y la coacción pa' cobrar facturas civiles y arresta gente de modo que se les pueda dejar ir por determinao precio y presenta muchas demandas falsas pa' simplemente echar a perder el negocio de alguien y cobra un pagaré que ni siquiera se debía realmente; pues, parece que hay ALGUNA disposición en este libro de derecho que dice que eso no es del todo legal; que por lo menos es una falta o algo que se reporta a la UNIÓN DE LIBERTADES CIVILES o al congreso o a algún lado. E incluso si como ellos dicen son dueños de toda la ley en Arizona, parece que alguien debería hipotecar a algo de la misma.

Y meditándolo muy bien, siendo muy lerdos en asuntos legales, parece que este Boland y este Evans, etc., que son dueños del ferrocarril del PACÍFICO SUR o al menos lo conservan, pues, parece que al menos deberían recibir una multa de transito por bloquear la carretera.

¿Qué piensa *usted,* señor juez?

Epílogo
Un Libro Llamado Dianética

Para celebrar el 31 aniversario de *Dianética: La Ciencia Moderna de la Salud Mental,* L. Ronald Hubbard escribió lo siguiente un 15 de abril de 1981:

Hace 31 años en este mes de mayo
Se entrego un mensaje en este lugar.

Un libro llamado Dianética
Apareció como un estruendo
Que voló las barreras
De la ignorancia.

Pero los hombres
Que quieren oprimir
Han trabajado muy duro para reconstruir
Su barricada.

Ya que si todos los hombres
Se liberaran
¿Entonces qué utilizarían los chacales como presa?

Tienes la responsabilidad de continuar
El trabajo que
Se comenzó
Y con el andar pesado de muchos pies
Abriéndose paso por el camino conquistado.

Cada año que dejamos atrás, encuentra
Menos fuerza en la pena
Que nos toco vivir hace treinta y un años
Un nueve de mayo.

Si, aún así, ganaremos para la humanidad.
Su derecho a la verdad, verdadera riqueza.
¿Por qué dejarle que muera
Cuando puede tener
Dianética y salud mental?

Depende de ti
Que el hombre
Siga con su camino.

Hagan todo lo que puedan
Amigos míos para ver
Que la libertad ganará la batalla.

APÉNDICE

GLOSARIO

A

a tientas: tocando para reconocer algo en la oscuridad o por falta de vista. Pág. 57.

aberrado: afectado de *aberración,* desviación respecto al pensamiento o comportamiento racional. Del latín *aberrare:* desviarse; de *ab,* lejos y *errare,* vagar. Básicamente significa errar, cometer errores o de forma más específica, tener ideas fijas que no son verdad. La palabra se usa también en su sentido científico, significando desviación de una línea recta. Si una línea tuviera que ir de A a B, entonces, si está "aberrada" iría de A a algún otro punto, a algún otro punto, a algún otro punto, a algún otro punto, a algún otro punto hasta que finalmente llegaría a B. Tomada en su sentido científico, significaría también falta de rectitud o ver las cosas de forma torcida, como por ejemplo: un hombre ve un caballo, pero cree ver un elefante. La conducta aberrada sería aquella que es incorrecta o irracional. Pág. 1.

absorto: con la atención puesta intensamente en lo que se piensa o hace, de modo que no se atiende a ninguna otra cosa. Pág. 44.

aceleración del corazón: se refiere al fenómeno que ocurre en el nacimiento en el que una vez que se corta el cordón umbilical, el bebé tiene que comenzar a respirar, que se su corazón ya no es capaz de latir para obtener sangre oxigenada de la madre. Pág. 20.

ácido fólico: vitamina del complejo B que se encuentra en vegetales de hoja verde, cítricos, cereales, legumbres, aves y yema de huevo. Es importante en la formación de glóbulos rojos. También se le conoce como *vitamina B_9.* Pág. 74.

acosar: molestar a alguien insistiendo en cierta cosa para obligarlo a actuar de determinada manera. Pág. 99.

actualización, curso de: curso diseñado para poner al día el conocimiento y las destrezas de una persona. Pág. 39.

adagio: un dicho tradicional que expresa una experiencia u observación común. Pág. 44.

Adler: Alfred Adler (1870–1937), psicólogo y psiquiatra austriaco que discrepó con Freud (1911) por enfatizar que una sensación de inferioridad, en lugar de un impulso sexual, es la fuerza que motiva la vida humana. Pág. 25.

Administración de Veteranos de California: agencia encargada de administrar los beneficios otorgados por la ley a los veteranos de las fuerzas armadas de California. Pág. 15.

advenimiento: llegada de algo importante. Pág. 1.

aeronáutica: ciencia, arte, teoría y práctica de diseñar, construir y operar aeronaves. Pág. 15.

afiliación como asociado: afiliación de la Fundación de Investigación de Dianética de principios de la década de 1950, abierta a individuos interesados en Dianética. Los miembros asociados recibían información de los nuevos desarrollos en Dianética a través del boletín publicado periódicamente sólo para miembros. También llamado *miembro asociado*. Pág. 71.

alardear: presentación llamativa o presuntuosa que una persona hace de algo que tiene. Pág. 116.

aldea: pueblo muy pequeño. Pág. 71.

aliado: relacionado con los *aliados,* en la Segunda Guerra Mundial (1939–1945), las veintiséis naciones que lucharon contra las potencias del eje (Alemania, Italia y Japón, a menudo con Bulgaria, Austria, Hungría y Rumania). El término *aliados* se refiere especialmente a Gran Bretaña, Francia, Estados Unidos y la antigua Unión Soviética. Pág. 38.

alta tensión: *tensión* en este sentido es un sinónimo de *voltaje,* la cantidad de presión o fuerza detrás de un flujo eléctrico. Las *líneas de alta tensión* son cables diseñados para llevar grandes cantidades de voltaje, normalmente se encuentran por encima del suelo y están colgadas en una serie de postes. Pág. 38.

alto, sonido: se refiere a un sonido que es agudo. Pág. 42.

altruista: que se preocupa o se dedica desinteresadamente al bienestar de los demás. Pág. 35.

alucinación: percepción falsa o distorsionada de objetos o eventos con una sensación convincente de su realidad. Pág. 31.

ambiguo: incierto, dudoso o sin tener definidas claramente actitudes u opiniones. Pág. 113.

análisis de resistencia: la determinación de resistencia producida en un cuerpo sólido, tal como un puente o un edificio por estar sujetos a varias fuerzas como peso, viento, terremotos, gravedad, etc. Usado por LRH en sentido figurado para referirse a la verificación de resultados de las mejoras en la gente que él estaba tratando. Pág. 17.

análogo: comparable en ciertos aspectos; parecido o similar. Pág. 27.

anemia: enfermedad o trastorno consistente en la deficiencia en la sangre de glóbulos rojos, dando como resultado dificultad para respirar, debilidad, etc. Pág. 74.

anestesia: estado del organismo o de una parte de él cuando no tiene sensibilidad. Pág. 28.

anestesiar: quitar artificialmente la sensibilidad al organismo o a una parte de él. Pág. 72.

AP: Associated Press (Prensa Asociada) agencia grande de noticias norteamericana que recopila y distribuye noticias y fotografías locales e internacionales a periódicos y emisoras de radio y televisión afiliadas a ella en el mundo entero. Pág. 51.

aprensión: sentimiento de miedo porque algo malo pueda suceder. Pág. 45.

aprieto: apuro o situación difícil de resolver. Pág. 114.

árbitro: persona que tiene la facultad y autoridad de decidir sobre un tema o imponer un acuerdo sobre alguna disputa. Pág. 81.

archivista: sistema en la mente que proporciona datos cuando se le solicitan. El archivista funciona como el instrumento selector y alimentador en una computadora. Cuando una computadora requiere datos, dicho instrumento los encuentra en las áreas de almacenamiento de la memoria y los proporciona. Pág. 72.

Archivo: conjunto de documentos que se producen en el ejercicio de una actividad o de una función. Pág. vii.

Argel: capital y la ciudad portuaria más grande de Argelia, al noroeste de África, en el Mar Mediterráneo. Pág. 38.

aristocracia: cualquier clase o grupo considerado como superior, ya sea por educación, capacidad, riqueza o prestigio social. Pág. 44.

artículo: parte de la oración que se pone antes del nombre y limita la extensión de su significado. Pág. 80.

artritis: inflamación de las articulaciones que causa dolor, hinchazón y rigidez. Pág. 20.

ASF: siglas de la revista *Astounding Science Fiction*. Pág. 24.

Asociación de Abogados: organización de abogados establecida para promover la competencia profesional, imponer estándares de conducta ética y reforzar el espíritu de servicio público entre los miembros de la profesión legal. Pág. 76.

Asociación Médica Americana: organización profesional de médicos en Estados Unidos, fundada en 1847 y compuesta por asociaciones médicas estatales y provinciales. Pág. 15.

Asociación Psicológica Americana: asociación norteamericana de psicólogos fundada en 1892. Pág. 106.

Asociación Psiquiátrica Americana: sociedad nacional de psiquiatras fundada en 1844 como la Asociación de Inspectores Médicos de las Instituciones Americanas para Dementes. Pág. 15.

astillero naval: *astillero* que pertenece a la marina, lugar donde se construyen y reparan barcos de guerra. Pág. 95.

Astounding Science Fiction (Ciencia Ficción Asombrosa): revista fundada en 1930, la cual presentaba relatos de aventuras y posteriormente de ciencia ficción. El número de mayo de 1950 contenía uno de los primeros artículos sobre Dianética, titulado *Dianética: La Evolución de una Ciencia.* Pág. 16.

Atabrine: marca de una medicina sintética que se usa para el tratamiento de la malaria. Pág. 29.

atender: cuidar de alguien o algo. Pág. 29.

atisbo: indicio o iniciación todavía débil de una cosa. Pág. 58.

atolladero: estorbo u obstáculo que impide el avance de algo. Pág. 59.

auditación: aplicación de técnicas de Dianética (llamadas *procesos*). Los procesos tienen que ver directamente con incrementar la capacidad de la persona para sobrevivir, incrementar su cordura o capacidad para razonar, su capacidad física y su disfrute general de la vida. Pág. 1.

auditor: el individuo que administra la terapia de Dianética. Auditar significa "escuchar" y también "computar". Pág. 43.

aura: conjunto de síntomas, como náuseas, percepción vaga, etc., previos a una crisis epiléptica, una jaqueca y otros trastornos. Pág. 66.

autoritarismo: abuso de la autoridad o existencia de sumisión total a ella. Pág. 100.

Avenida West Douglas: calle de *Wichita,* ciudad en el centro-sur de Kansas (estado en el centro de Estados Unidos), donde se ubicaba la Fundación de Investigación Dianética Hubbard entre 1951 y principios de 1952. Pág. 113.

aventurar: decir o afirmar una cosa atrevida o de la que se tiene duda o cierto recelo. Pág. 17.

avión bimotor: avión con dos motores. Pág. 106.

axiomas: enunciados de leyes naturales del mismo tipo que aquellos de las ciencias físicas, especialmente los axiomas de Dianética. Pág. 27.

axiomático: evidente o incuestionable. Pág. 72.

B

B-17: bombardero grande, también conocido como el *Flying Fortress (La fortaleza volante)*, construido por la Compañía Boeing Aircraft y usado por primera vez en combate a principios de 1940. El B-17 *(B de bombardero)* fue ampliamente utilizado por Estados Unidos durante la Segunda Guerra Mundial (1939–1945). Cada B-17 cargaba aproximadamente cuatro toneladas de bombas. Pág. 38.

Bacon: Francis Bacon (1561–1626), influyente filósofo inglés que creía que en el pensamiento científico se debía abandonar cualquier prejuicio o idea preconcebida y que la observación y experimentación precisas eran vitales para la ciencia. Ayudó a desarrollar el método científico para resolver problemas. Pág. 99.

bajo el sol: en el mundo, en la Tierra. Pág. 72.

Baltimore: ciudad al norte de Maryland, estado en el este de Estados Unidos. Pág. 16.

barbarie: actitud fiera, inhumana y cruel. Pág. 32.

bases, desde las: se refiere a cosas provenientes de las personas comunes y corrientes. Pág. 70.

básico-básico: primer engrama después de la concepción, el básico de todas las cadenas por el solo hecho de ser el primer momento de dolor. Pág. 85.

Bay Head: una ciudad en la costa atlántica de Estados Unidos, en el estado de Nueva Jersey, aproximadamente a 110 kilómetros al sur de la ciudad de Nueva York. Pág. 3.

Beaumont, Texas: ciudad y puerto en el sureste de Texas, unida al Golfo de México por un canal para embarcaciones. Pág. 70.

Bellas Artes, Escuela de: la *Escuela Nacional Superior de Bellas Artes* en París, Francia, fundada en el siglo XVII. La escuela ofrece clases de dibujo, pintura, tallado y escultura a aquellos que califican tras haber hecho los exámenes correspondientes. Los profesores de la escuela se escogieron de entre los más capaces artistas franceses, y sus altas exigencias han influenciado a artistas tanto europeos como americanos. Pág. 7.

Benzedrina: marca comercial de un fármaco que aumenta la actividad física y mental, impide el sueño y disminuye el apetito. Pág. 30.

Bering: Mar de Bering, ubicado en la parte más septentrional del océano Pacífico, separando los continentes de Asia y América. Bautizado en honor al navegante danés Vitus Bering (1680–1741). Pág. 54.

Bethesda, Maryland: suburbio del estado de Maryland, ubicado en el noroeste de Washington, D.C. Pág. 105.

boil-off: manifestación de periodos anteriores de inconsciencia, acompañada de una condición de estar grogui. En inglés, *boil-off* se refiere a la reducción en la cantidad de un líquido al convertirlo a estado gaseoso, como vapor. Pág. 86.

bola de fuego: algo que se parece a este tipo de bola, tal como un área redonda con una inflamación extrema. Pág. 8.

boletines: publicaciones de la Fundación de Investigación Dianética Hubbard a mediados de 1950, que contienen datos técnicos y de investigación. Pág. 82.

boquiabierto: con la boca abierta por asombro, sorpresa o admiración. Pág. 79.

borde de ataque: borde frontal del ala de un avión. En un avión de combate, a veces se montaban ametralladoras de varios tamaños en la parte exterior de las alas y cerca del morro. Las que están cerca del morro estaban cronometradas para que disparasen a través de la hélice en movimiento. Pág. 38.

Bremerton: ciudad al oeste de Washington, estado al noroeste de Estados Unidos en la costa del Pacífico. El astillero naval grande de Bremerton fue fundado en 1891 y da mantenimiento a toda clase de buques navales. Pág. 95.

Breuer: Josef Breuer (1842–1925), médico austriaco que trabajó muy estrechamente con Sigmund Freud en la década de 1880 y que intentó aliviar la neurosis de los pacientes mediante el uso de la hipnosis. Pág. 99.

C

calar hondo: frase que se refiere a hacer o decir algo que produzca una respuesta o efecto deseado. Pág. 59.

campanadas, cuatro: *campanada* es un término náutico que se refiere a cualquiera de los lapsos de media hora que se anuncian con la campana de un barco durante una *guardia,* un periodo de cuatro horas de duración durante el cual el personal asignado del barco está en servicio. La primera guardia es desde la media noche hasta las 4:00 y durante esta guardia, una campanada indica las 00:30, dos campanadas indican la 1:00, tres campanadas indican la 1:30 y cuatro campanadas indican las 2:00 de la madrugada. Pág. 52.

Campbell, hijo, John W.: (1910–1971) editor y escritor norteamericano que comenzó a escribir ciencia ficción mientras estaba en la universidad. En 1937, Campbell fue nombrado editor de la revista *Astounding Stories (Historias Asombrosas),* titulada más tarde *Astounding Science Fiction (Ciencia Ficción Asombrosa)* y después *Analog (Analógico).* Bajo su dirección editorial, *Astounding* se convirtió en una gran influencia para el desarrollo de la ciencia ficción, publicando historias de algunos de los escritores más importantes de la época. Pág. 8.

Canal de la Mancha: brazo de mar entre Inglaterra y Francia que une el Océano Atlántico con el Mar del Norte, tiene 563 kilómetros de longitud y entre 34 y 160 kilómetros de ancho. Pág. 38.

candado: momento analítico en el que los percépticos se asemejan a los de un engrama, reestimulando así el engrama o haciendo que entre en acción, al interpretar erróneamente la mente reactiva que los percépticos de tiempo presente significan que otra vez está cerca esa misma condición que una vez produjo dolor físico. Pág. 92.

candente: que causa una intensa discusión o debate. Pág. 17.

capital: conjunto de bienes que posee una persona o una sociedad, especialmente si es en dinero o en valores. Pág. 54.

caprichoso: que tiende a cambiar de manera impredecible o abrupta sin razón aparente. Pág. 28.

carta abierta: la que se dirige a una persona, pero con la intención de que se exhiba públicamente. Pág. 34.

Casbah: la sección más antigua de la ciudad de Argel, capital de Argelia, país en el norte de África, tiene calles muy largas en forma de laberinto y edificios cerrados y abarrotados. Esta sección recibió su nombre por la fortaleza (casbah) que existe en la zona. Durante la Segunda Guerra Mundial (1939–1945), Argel fue sede de las oficinas centrales de las fuerzas aliadas del norte de África. Pág. 38.

caso benéfico: persona que no es capaz de pagar servicios o que está necesitada de ayuda y a quien la organización le ofrece su ayuda de forma voluntaria o gratuita. Pág. 89.

caso de baja realidad: individuo que tiene un sentido bajo de la realidad y está fuera de contacto con ella y con el universo a su alrededor. Este individuo encuentra muy difícil creer sus propios datos o tener confianza en los datos que cuenta sobre su pasado. Pág. 92.

categórico: decisivo; que afirma o niega clara y sencillamente algo. Pág. 105.

ceder: romper; derribar; fallar. Pág. 43.

celular: que tiene que ver con la *célula,* la unidad estructural más pequeña de un organismo que es capaz de funcionar de manera independiente. Todas las plantas y animales están compuestos de una o más células que generalmente se combinan para formar diversos tejidos. Pág. 100.

censurar: criticar, juzgar negativamente o tachar de malo. Pág. 105.

Ceppos, Arthur (Art): (1910–1997) fundador y antiguo presidente de la Hermitage House, la primera editorial que publicó *Dianética: La Ciencia Moderna de la Salud Mental.* Pág. 34.

chacal: en sentido figurado, una persona que trabaja con otros para engañar a la gente, en especial para privarla de su dinero. En sentido literal, un chacal es una especie de perro salvaje de Asia y África, que caza durante la noche y se alimenta de carroña. Pág. 121.

chamanismo: conjunto de creencias y prácticas referentes a los *chamanes,* sacerdotes o sacerdotisas que se dice, actúan como intermediarios entre el mundo natural y sobrenatural y usan magia para curar enfermedades, predecir el futuro y contactar y controlar fuerzas espirituales. Pág. 31.

Choccolocco, Alabama: pequeña localidad ubicada en el noreste de Alabama, estado al sureste de Estados Unidos. Pág. 67.

cibernética: ciencia que estudia comparativamente los mecanismos de comunicación y regulación en los seres vivos y las máquinas. Por ejemplo, mediante estudiar cómo funcionan la mente y el sistema nervioso, uno podría entonces reproducir ese "proceso pensante" en una computadora. Pág. 31.

Ciencia es una Vaca Sagrada, La: libro escrito en 1950 por el químico y escritor norteamericano de origen inglés Anthony Standen (1906–1993), trata de cómo la ciencia es venerada por el hombre común debido a una ausencia de comprensión en el tema mismo. El autor cita numerosos ejemplos de pensamientos estúpidos acerca de todas las ciencias, tanto las ciencias físicas como de las sociales, incluyendo una crítica a la psicología por nunca decir nada que fuera realmente importante sobre el hombre. *(Vaca Sagrada* es un término que se usa para mostrar una falta de aprobación respecto a una costumbre, sistema, etc., que ha existido por mucho tiempo y que se piensa que está por encima de cualquier cuestionamiento o crítica. De las creencias religiosas tradicionales hindúes de que las vacas son sagradas). Pág. 43.

ciencias físicas: cualquiera de las ciencias, como la física y la química que estudian y analizan la naturaleza y las propiedades de la energía y la materia inerte. Pág. 49.

ciencias políticas: estudio de las organizaciones e instituciones políticas, en particular de los gobiernos. Pág. 76.

científico exacto: alguien que tiene estudios científicos o que trabaja en una de las *ciencias exactas,* temas en los que los hechos se pueden observar con exactitud y los resultados se pueden predecir correctamente. Pág. 43.

circuito demonio: en Dianética, un "demonio" es un circuito parásito que actúa en la mente de forma similar a la de otra entidad diferente a uno mismo y en Dianética se consideró que esto provenía por completo de las palabras de los engramas. Sus fenómenos se describen en *Dianética: La Ciencia Moderna de la Salud Mental.* Pág. 86.

civil: de una ciudad, de sus habitantes o relacionado con ellos. Pág. 119.

clandestino: secreto, que se oculta o se esconde, especialmente por temor a la ley o para evitarla. Pág. 105.

cláusula: cada uno de los apartados de un documento público o privado, especialmente de un contrato o de un testamento. Pág. 21.

Clear: ser que ya no tiene su propia mente reactiva. Es una persona que no está afectada por la aberración (cualquier desviación o alejamiento de la racionalidad). Es racional porque concibe las mejores soluciones posibles de los datos que tiene y desde su punto de vista. Pág. 44.

clearing: acción de borrar de la mente reactiva todas las experiencias físicamente dolorosas que han resultado en la aberración de la mente analítica. Pág. 30.

Clearwater: ciudad al oeste de Florida, estado ubicado en la zona sureste de Estados Unidos. Se encuentra cerca de St. Petersburg y Tampa. Pág. 74.

Clínica Mayo: gran clínica médica fundada en 1889 por el médico y cirujano norteamericano de origen inglés William W. Mayo (1819–1911), en Rochester, Minnesota, Estados Unidos. Originalmente la clínica se especializó en cirugía, pero se expandió hasta entregar otros servicios médicos. Pág. 66.

Clínica Menninger: clínica psiquiátrica y complejo de entrenamiento fundado por el psiquiatra norteamericano Karl Menninger (1893–1990) y ubicado en Topeka, Kansas, Estados Unidos. Pág. 106.

Clínica Ochsner: centro médico establecido en 1942 en la parte alta de la ciudad de Nueva Orleans, actualmente se ha convertido en el Sistema de Salud Ochsner, con numerosos hospitales en el sureste del estado de Louisiana. Su fundador, Alton Ochsner (1896–1981) fue uno de los primeros en sacar a la luz los daños generados por el tabaco y su relación con el cáncer de pulmón. Pág. 71.

Clover Field, pista de aterrizaje de: nombre original del aeropuerto de Santa Mónica, aeropuerto público en la ciudad del mismo nombre al sur de California, cerca de Los Ángeles. Este fue uno de los primeros de la región y el lugar donde se fabricaban aviones durante la Segunda Guerra Mundial (1939–1945). Pág. 106.

Club de Exploradores: organización con sede en Nueva York y fundada en 1904, dedicada exclusivamente a promover la ciencia de la exploración. Para apoyar este propósito, proporciona subvenciones a aquellos que desean participar en proyectos y expediciones de investigación en el campo. Ha prestado apoyo logístico para algunas de las expediciones más audaces del siglo XX. L. Ronald Hubbard era miembro vitalicio del Club de Exploradores. Pág. 26.

coda: en una composición musical, parte final de un movimiento, añadida con el fin de redondear la obra. Pág. 66.

codicioso: que tiene un fuerte deseo por poseer algo, especialmente algo que pertenece a otra persona. Pág. 3.

Código del Auditor: colección de reglas que sigue un auditor cuando audita a alguien, lo que asegura que el preclear recibirá la ganancia mayor posible con el procesamiento que está recibiendo. Pág. 67.

colitis: inflamación del colon, caracterizada por espasmos del intestino. Pág. 51.

coloquial: característico de la conversación o del lenguaje usado corrientemente. Pág. 82.

columna: serie de artículos destacados que regularmente aparecen en un periódico o revista y que corresponden a algún escritor o tratan de un tema en particular. Pág. 8.

columna personal: una columna escrita con el nombre del autor. Una columna es un artículo en un periódico o revista que siempre lo escribe la misma persona o que siempre es acerca del mismo tema. Pág. 56.

columnista nacional: persona que escribe o prepara una columna (una serie de artículos que aparecen regularmente en un periódico o revista por un escritor en particular o acerca de cierto tema), para un periódico o revista de toda una nación. Pág. 49.

comatoso, sa: en un estado de profunda inconsciencia por un periodo prolongado o indefinido, especialmente como resultado de daños o enfermedad severos. Pág. 72.

Comisión Estatal de Nueva York contra la Discriminación: comisión (grupo de personas encargadas con autoridad de funciones concretas) en el estado de Nueva York, formada para investigar y reconciliar quejas por discriminación con respecto al empleo. A principios de la década de 1950, Nueva York era uno de los siete estados de Estados Unidos que tenía leyes que incluían la manera de hacer cumplir las prácticas no discriminatorias en el empleo. Pág. 56.

Comité sobre Evidencia: comité responsable de determinar qué tipo de evidencia debería o no ser considerada permitida o válida en un proceso judicial. Pág. 76.

complejo: en psicoanálisis, grupo de ideas, emociones e impulsos interrelacionados de los que el individuo no es consciente, pero que influyen fuertemente en sus actitudes, sentimientos y comportamiento en una actividad particular. Pág. 17.

complejo de inferioridad: término utilizado para describir una obsesión mental con la idea de ser *inferior*, de tener menos valor, importancia o mérito. Pág. 17.

complejo militar-industrial: red de fuerzas militares de la nación junto con todas las industrias que la apoyan. Pág. 106.

complicación: circunstancia imprevista que agrava una enfermedad, dificulta una intervención quirúrgica, etc. Pág. 66.

comportamiento aberrado: que se desvía de lo común, usual o normal; que es anormal. Pág. 1.

compulsión: inclinación irreprimible de alguien a hacer algo que va en contra de su propio juicio o voluntad. Pág. 99.

conejillo de Indias: animal o persona sometido a observación o experimentación. Un *conejillo de Indias* es un animalito doméstico peludo, regordete y de orejas cortas, es nativo de Sudamérica, muy usado como mascota y para experimentos científicos. Pág. 97.

conjetura: juicio o idea que se forman a partir de indicios o de datos incompletos o no comprobados. Pág. 57.

conllevar: implicar, suponer o traer como consecuencia. Pág. 81.

consciencia cósmica: creencia de que el cosmos (la vida y el orden del universo) provoca una iluminación intelectual que pone al individuo en un nuevo plano de existencia, acompañado por un sentimiento de elevación, júbilo, y un concepto de inmortalidad. El originador de esta creencia fue el psiquiatra canadiense R. M. Bucke. Pág. 69.

Consejo de Coordinación: nombre de un grupo de Dianética que funcionaba en Los Ángeles, California, en 1950. Pág. 86.

contagioso: que se esparce, o tiende a esparcirse, de una persona a otra, semejante a una enfermedad que se transmite por contacto corporal directo o indirecto. Pág. 30.

contraataque: fuerte reacción adversa en contra de algo. Pág. 3.

contratiempo: accidente o suceso inoportuno que obstaculiza o impide el curso normal de algo. Pág. 63.

convulsión: período de violento estrés, tensión y confusión, ya sea social o político, confusión violenta. Pág. 81.

cordón umbilical: conducto que une al bebé no nacido a su madre. Pág. 20.

Costa Oeste: la costa oeste de Estados Unidos, que colinda con el Océano Pacífico y que comprende las costas de California, Oregon y Washington. Pág. 72.

cristalizar: dar una forma definida o concreta a algo. Pág. 99.

cruzada: lucha o serie de esfuerzos hechos con un fin elevado. Pág. 26.

cuatro campanadas: *campanada* es un término náutico que se refiere a cualquiera de los lapsos de media hora que se anuncian con la campana de un barco durante una *guardia,* un periodo de cuatro horas de duración durante el cual el personal asignado del barco está en servicio. La primera guardia es desde la media noche hasta las 4:00 y durante esta guardia, una campanada indica las 00:30, dos campanadas indican la 1:00, tres campanadas indican la 1:30 y cuatro campanadas indican las 2:00 de la madrugada Pág. 52.

Cuatro Humores: los cuatro flujos básicos del cuerpo, que anteriormente se consideraba que determinaban, de acuerdo a su proporción relativa, la disposición de una persona y sus características físicas. Por ejemplo, uno de los humores era la sangre, la cual se pensaba que traía alegría y un cuerpo fuerte. Se pensaba que otro humor, que se encontraba en el área digestiva del cuerpo, causaba tristeza. Pág. 39.

curanderismo: persona que practica la *curandería,* práctica de quien cura o pretende curar por medios no reconocidos por la medicina oficial. Pág. 105.

Curso (de Auditor) Profesional: curso de un mes de duración a tiempo completo, que entrenaba al individuo para ser un auditor profesional de Dianética. El curso incluía observación y auditación práctica, conferencias diarias y adiestramiento. Pág. 84.

D

Dachau: campo de concentración alemán que se instaló en 1933 y dejó de funcionar en 1945. Contaba con más de 160,000 trabajadores esclavos y disponía de instalaciones para asesinar y quemar masivamente a los reclusos del campo. También fue un centro de investigación donde se realizaron experimentos a más de 3,500 reclusos. Dachau es una ciudad ubicada a 16 kilómetros al noroeste de Munich, Alemania. Pág. 105.

Dallas Morning News (Noticias Matutinas de Dallas): periódico matutino grande de Dallas, Texas. Texas es un estado en el suroeste de Estados Unidos. Pág. 79.

de primera: muy bueno o excelente. Pág. 80.

delirio: estado marcado por agitación y confusión extremas y en algunos casos alucinaciones, causado por fiebre, envenenamiento o daño cerebral. Pág. 28.

delirio de grandeza: falsa creencia acerca de la propia personalidad o estado a causa de la cual se piensa que son más importantes de lo que en realidad son. Pág. 58.

delusión: creencia u opinión falsa y persistente que se resiste a la razón y a la confrontación con los hechos reales. Pág. 81.

denso: sustancioso o con mucho contenido y muy concentrado, especialmente si por ello resulta oscuro o difícil. Pág. 58.

deprimente: que deprime o baja el ánimo. Pág. 81.

derechos: cantidad que un profesional cobra como participación de los beneficios que produzca la publicación, ejecución o reproducción de una obra. Pág. 79.

derechos de autor: los que cobra el autor de una obra literaria, científica o artística por la representación, reproducción o exhibición en público de ellas. Pág. 113.

derrotista: caracterizado por la actitud de rendirse fácilmente o no ser capaz de tener éxito con algo. Pág. 107.

desalentar: quitar las ganas o el ánimo de hacer algo. Pág. 96.

desbandada: acción de separarse marchando en distintas direcciones los que estaban o marchaban juntos. Pág. 27.

descarga de bombas: se refiere a las bombas que se sueltan al mismo tiempo, por ejemplo, desde un avión. Pág. 38.

despabilado, da: persona despierta y lista que está atenta a todo. Pág. 52.

despojar: privar a alguien de lo que goza y tiene. Pág. 81.

desventura: mala suerte. Pág. 31.

detractor: persona que crítica a otra persona o cosa por no estar de acuerdo con ella. Pág. 108.

devastado, Japón todavía : referencia al estado de Japón en 1950. Al final de la Segunda Guerra Mundial (1939–1945), la cuarta parte de sus edificios estaban en cenizas debido a los continuos bombardeos de las ciudades y las bombas atómicas en las ciudades de Hiroshima y Nagasaki. La producción era solamente un tercio de su nivel antes de la guerra y no fue hasta 1955 que la economía de Japón volvió a su nivel anterior a la guerra. Pág. 78.

Día de Acción de Gracias: celebración que se lleva a cabo en Estados Unidos el cuarto jueves de noviembre para recordar la fiesta que se celebró en 1621 en Plymouth, Massachusetts (a 60 km al sur de Boston), por los colonos norteamericanos que se habían asentado allí tras dejar Inglaterra. Los nativos de esa área habían enseñado a los colonos cómo plantar para comer y la fiesta daba gracias a Dios por sus buenas cosechas y salud. El típico pavo que se sirve actualmente en la cena del día de Acción de Gracias es un recordatorio de los pavos salvajes que se sirvieron en la primera celebración de Acción de Gracias. Pág. 7.

Dianética Educativa: rama de Dianética que contiene el corpus de conocimiento organizado necesario para entrenar mentes hasta su eficiencia óptima y hasta un nivel óptimo de destreza y conocimiento en las diversas ramas de las actividades del hombre. Pág. 39.

Dianética Industrial: rama de Dianética que contiene el corpus de conocimiento necesario para mejorar al máximo el mundo de la *industria,* aquellas compañías que fabrican o venden productos hechos de materias primas, en vez de productos que se cosechan y luego se venden. Pág. 39.

Dianética Judicial: Dianética Judicial cubre el campo de la adjudicación dentro de la sociedad y entre las sociedades del hombre. Por necesidad, abarca jurisprudencia (la teoría o filosofía de la ley) y sus códigos y establece definiciones precisas y ecuaciones para establecer equidad (justicia). Es la ciencia del juicio. Pág. 76.

Dianética Política: rama de Dianética que abarca el campo de las actividades y la organización de grupos para establecer el carácter óptimo de sus condiciones y procesos de liderazgo así como de las relaciones entre ellos. Pág. 39.

Dianética: Un Manual de Terapia de Dianética: alusión a *Dianética: La Ciencia Moderna de la Salud Mental,* publicado en 1950. La portada original del libro tenía el subtítulo de *Un Manual de Terapia de Dianética.* Pág. 99.

diario: relación o relato de lo que ocurre cada día. Pág. 29.

Dieppe: ciudad portuaria en el norte de Francia. Durante la Segunda Guerra Mundial (1939–1945), los alemanes ocuparon Dieppe, transformándola en uno de los puntos más fortificados del Canal de la Mancha. En agosto de 1942, con el propósito de conseguir datos para una invasión posterior a Europa, los aliados llevaron a cabo un ataque en el que se sufrieron numerosas bajas. Pág. 38.

difamación: decir de alguien cosas relativas a su moral o su honradez que perjudican gravemente su buena fama. Pág. 117.

Dilantin: droga que se usa para tratar los ataques o las contracciones musculares violentas causadas por la epilepsia. Pág. 66.

diluir: usado en el texto con el sentido de hacer algo más débil, menos eficiente o menos fuerte a base de modificarlo o añadiendo otros elementos. Literalmente *diluir* significa hacer que disminuya la concentración de un líquido, generalmente añadiéndole disolvente u otra sustancia. Pág. 45.

dinámica: 1. El empuje, la fuerza y el propósito de la vida: ¡SOBREVIVE! en sus cuatro manifestaciones: uno mismo, el sexo, el grupo y la humanidad. Pág. 2.
2. Tenacidad hacia la vida, vigor y persistencia en la supervivencia. La *tenacidad* es la cualidad de continuar firmemente, manteniendo una posición firme; resistencia. Pág. 44.

disertación: comunicación escrita o hablada acerca de un tema, en la que este se discute en profundidad. Pág. 72.

disposición: orden de alguna autoridad, o ley que dispone lo que hay que hacer o cómo hay que hacer algo. Pág. 119.

disyuntivo, va: alternativa entre dos cosas por una de las cuales hay que optar. Pág. 56.

divagación: acción de hablar o escribir sin concierto ni propósito fijo y determinado. Pág. 1.

doctorado: título universitario que se obtiene después de haber realizado los estudios necesarios y haber presentado y aprobado la tesis (trabajo científico que presenta en la universidad el aspirante al título de doctor en una facultad). Pág. 39.

dormido: de forma figurada, temporalmente sin actividad, energía, poder o efecto. Pág. 28.

dosis, fuertes: cierta cantidad de algo que se piensa que tiene un efecto, como el de una medicina fuerte. Pág. 39.

E

edad de oro: periodo de mayor prosperidad en la historia de algo; periodo de mayor o máximo desarrollo. Pág. 34.

Edad Media: periodo de la historia europea entre la antigüedad y la era reciente. Se considera que duró desde el siglo V al final del Imperio Romano, y comienzos del siglo XV, momento cuando importantes cambios culturales y artísticos empezaron a suceder. Pág. 39.

eficacia: capacidad de lograr el efecto que se desea o se espera. Pág. 56.

El Cajón: suburbio de San Diego, puerto en el suroeste de California. Pág. 17.

electrizante: que causa sensación de gran emoción. Pág. 38.

elevarse: subir a un mayor nivel moral, cultural o intelectual. Pág. 80.

Elizabeth: ciudad del noreste de Nueva Jersey, estado en la costa atlántica de Estados Unidos. En Elizabeth estuvo la primera Fundación de Investigación de Dianética Hubbard, 1950–1951. Pág. 1.

eminente: que sobresale o destaca en un campo o en una actividad. Pág. 32.

emocionalismo: tendencia a tratar las cosas o a responder de forma emocional, en lugar de racionalmente. Pág. 43.

empresario petrolero: una persona que es propietaria u opera un pozo petrolero o un ejecutivo en la industria del petróleo. Pág. 113.

en pos de: tras una cosa, intentando conseguirla. Pág. 62.

endocrinología: rama de la biología que trata de las glándulas endocrinas y sus secreciones. Las glándulas endocrinas producen y secretan sustancias químicas en el cuerpo, para regular el crecimiento, desarrollo y función de ciertos tejidos y coordinar muchos de los procesos del organismo. Pág. 15.

engrama: momento de "inconsciencia" que contiene dolor físico o emoción dolorosa y todas las percepciones y que no está disponible para la mente analítica (mente consciente) como experiencia. Pág. 28.

enquistado: encerrado o encapsulado dentro de algo resistente que lo envuelve. Pág. 7.

Entrega General: se refiere a un servicio e entrega de correo o a un departamento de algunas oficinas de correo que maneja la entrega del correo en una ventanilla de la oficina de correo para personas que no tienen un domicilio permanente o que por otras razones pasan a recoger su correo. Con frecuencia se usa como si fuera un domicilio. Pág. 17.

epilepsia postraumática: forma de epilepsia que se da como resultado de un trauma (daño físico). La *epilepsia* es un desarreglo del sistema nervioso que interrumpe brevemente la actividad eléctrica normal del cerebro, provocando convulsiones y que se caracteriza por una variedad de síntomas, entre los que se encuentran los movimientos descontrolados del cuerpo, la desorientación o confusión, el miedo y la pérdida de conciencia repentinos. Pág. 66.

epíssstola: deletreo chistoso de *epístola*, término formal para carta. Pág. 51.

epístola: carta que se escribe a alguien. Pág. 116.

erudición: conocimiento amplio y profundo adquirido mediante el estudio, especialmente el relacionado con temas literarios o históricos y basado en el examen de fuentes y documentos. Pág. 39.

Escala Tonal: escala por medio de la cual se puede graduar un estado de ánimo. Se divide en las bandas siguientes, que van desde la superior a la inferior: banda de tono 4 en que la persona está mentalmente feliz, 3 es una zona de felicidad y bienestar generales, 2 es un nivel de existencia soportable, 1 es enojo, o apatía. Pág. 74.

esclarecedor: que informa e ilumina, con frecuencia revelando o enfatizando hechos que anteriormente no se conocían. Pág. vii.

estancamiento: suspensión o detención de una acción o del desarrollo de un proceso. Pág. 81.

estibador: persona que trabaja en un muelle, cargando y descargando barcos. Pág. 7.

estremecedor: que mueve intensamente los sentimientos. Pág. 38.

etnológico, ca: de o relacionado con la *etnología,* ciencia que analiza las culturas, especialmente su desarrollo histórico y las similitudes y diferencias entre ellas. Pág. 26.

eufemísticamente: usando una palabra o expresión más suave con que se sustituye otra considerada de mal gusto, grosera o demasiado franca. Pág. 106.

Evolución de una Ciencia, La: una de las primeras publicaciones sobre Dianética que aparecieron en el número de mayo de 1950 de la revista *Astounding Science Fiction (Ciencia Ficción Asombrosa)*. La descripción de L. Ronald Hubbard de cómo llegó a desarrollar las grandes innovaciones de Dianética fueron posteriormente publicadas en el libro *Dianética: La Evolución de una Ciencia*. Pág. 16.

exagerado: de proporciones excesivas. Pág. 50.

"Excalibur": manuscrito filosófico escrito por L. Ronald Hubbard en 1938. Aunque no se publicara como tal, el conjunto de información que contenía ha sido, incluido desde entonces en diversos materiales de Dianética y Scientology. *Excalibur* era el nombre de la espada mágica del rey Arturo, legendario soberano británico de épocas medievales. Se dice que gobernó en el siglo V o VI d. C. Pág. 17.

experimentación nazi: referencia a la práctica de realizar experimentos médicos a los prisioneros en los campos de concentración de la Alemania nazi durante la Segunda Guerra Mundial (1939–1945). Los *campos de concentración* eran un tipo de prisión establecida para la reclusión y persecución de los judíos, oponentes políticos, disidentes religiosos, etc. En tales campos, junto con la exterminación en masa de los prisioneros, cientos de personas fueron sujetas a experimentos "médicos" inhumanos y altamente abusivos. *Véase también* **nazi.** Pág. 105.

explayarse: extenderse mucho al explicar algo. Pág. 27.

Explorers Journal, The **(El Diario de los Exploradores)***:* periódico trimestral publicado desde 1921 por *el Club de Exploradores,* una organización, con sede en Nueva York y fundada en 1904, dedicada exclusivamente a promover la ciencia de la exploración. El *Diario* del Club publica artículos y fotografías de sus miembros y otras personas en expediciones alrededor del mundo. Pág. 2.

expreso aéreo: servicio directo y rápido para enviar pequeños paquetes de mercancías por avión. Incluye recogerlo en el lugar de origen y entrega en el destino. Pág. 94.

extremaunción: ritual (ceremonia) administrada a una persona que está a punto de morir. Pág. 51.

F

falta: en derecho, infracción voluntaria de la ley que se sanciona con pena leve. Pág. 119.

fenobarbital: polvo blanco sin olor que se usa como sedante o pastillas para dormir. Pág. 66.

ferocidad: crueldad o agresividad propias de ciertos animales y que también manifiestan ciertas personas o cosas en sus acciones. Pág. 94.

fervorosa: que tiene o muestra interés intenso o gran entusiasmo. Pág. 45.

flores silvestres, como: que surgen o aparecen rápidamente y en volumen sin ningún esfuerzo o trabajo. Una *flor silvestre* es la flor que normalmente crece en los campos, bosques, etc., sin plantarla intencionadamente y que no requiere cuidados. Pág. 50.

formalidad: procedimiento que debe seguirse porque es una norma o requisito pero que tiene muy poca significación en sí mismo. Pág. 113.

Forrestal: James Vincent Forrestal (1892–1949) banquero y funcionario gubernamental norteamericano. Durante la Segunda Guerra Mundial (1939–1945) sostuvo una posición de alto mando en la administración de la Marina de Estados Unidos y en 1947 se le nombró primer secretario de defensa del país, a cargo de todas las fuerzas militares de Estados Unidos, desde esta posición comenzó una reorganización y coordinación de las fuerzas armadas de ese país. En marzo de 1949, Forrestal dimitió de su puesto debido a lo que los médicos llamaron una "depresión" y poco después ingresó en el Centro Médico Naval de Bethesda en Maryland. En mayo se suicidó saltando de una ventana del hospital. *Véase también* **Raines, George N.**

Fortune: revista de negocios fundada en 1930 enfocada a temas como los negocios, la economía y los asuntos sociales en relación con el mundo de los negocios. *Fortune* es una de las más de cien revistas publicadas por *Time, Inc.,* la compañía editorial que también publica la revista *Time.* Pág. 54.

fotolito: copia realizada por medio de la *fotolitografía,* procedimiento de impresión a partir de una plancha que ha sido preparada fotografiando en esta la imagen que se va imprimir, luego tratando el área que no se va a imprimir de modo que repela la tinta y permitiendo así que sólo la imagen a imprimirse absorba tinta. Pág. 92.

Freud: Sigmund Freud (1856–1939), fundador austriaco del psicoanálisis, que enfatizó que las memorias inconscientes de naturaleza sexual controlan el comportamiento de una persona. Pág. 17.

fructificar: producir utilidad o dar buenos resultados. Pág. 49.

Fundación de Dianética: alusión a la Fundación de Investigación de Dianética Hubbard, primera organización de Dianética, formada en 1950 en Elizabeth, Nueva Jersey, o las fundaciones sucursales en otras ciudades de Estados Unidos. Su propósito era el fomentar la investigación de Dianética y, principalmente, ofrecer entrenamiento. Pág. 61.

Fundación Ford: institución privada fundada con aportaciones de los fabricantes de automóviles norteamericanos Henry Ford (1863–1947) y su hijo Edsel Ford (1893–1943). La fundación patrocina proyectos experimentales, de desarrollo o de otro tipo, en campos tales como las ciencias del comportamiento (como la psicología), la economía y la administración. Desde su creación ha concedido miles de millones de dólares en subvenciones para financiar tales actividades. Pág. 89.

fundamento: principio o base sobre los que se apoya o afianza algo. Pág. 90.

FW-190: Focke-Wulf FW-190, avión de combate alemán de un solo asiento y un solo motor que se diseñó a finales de la década de 1930 y se utilizó durante la Segunda Guerra Mundial (1939–1945). Con más de veinte mil producidos durante la guerra, el FW-190 fue uno de los mejores aviones de combate de aquella época. Pág. 38.

G

Gainesville: ciudad en el norte de Florida, estado en el sureste de Estados Unidos. Pág. 75.

galaxia: gran sistema de estrellas que se mantienen juntas por la gravedad y que se separa de otros sistemas similares por vastas regiones de espacio. Pág. 34.

galerada: en los métodos de impresión antiguos, una prueba que se hacía para efectuar las correcciones oportunas previas a la publicación. Antes de imprimir se debe comprobar si todos los elementos que forman la página son correctos, también se comprueba que todo el material que se va a imprimir cabe dentro de las galeras, etc. Una *galera* es una tabla rectangular en que se colocaban las líneas de letras a medida que se componían. Pág. 52.

gangrenoso: afectado por la *gangrena,* muerte y descomposición del tejido corporal que ocurre a menudo en una extremidad y causada por un suministro insuficiente de sangre, normalmente aparece después de un accidente o enfermedad. Pág. 7.

gato calicó: gato con pelaje de tres colores, generalmente blanco, anaranjado y gris (o negro). Originalmente, *calicó* se refería a un tipo de tela de algodón de la India, que estaba impresa con un patrón brillante. Pág. 94.

Gestalt: sistema de terapia que usa la *psicología Gestalt,* una rama de la psicología basada en la creencia de que la experiencia es un patrón unificado y es más que la suma de sus eventos pequeños e independientes. *Gestalt,* es una palabra alemana para patrón, forma o modo. De acuerdo a esta psicología cuando las personas sanas se enfrentan a diversos elementos, perciben un patrón completo en lugar de trozos y partes y por lo tanto responden apropiadamente. Las personas enfermas perciben y responden a un trozo o parte. La terapia Gestalt busca remediar la incapacidad de responder apropiadamente. Pág. 1.

Ginny: Virginia Heinlein (1916–2003), esposa del autor Robert A. Heinlein. Pág. 52.

Gladwyne, Pennsylvania: ciudad al suroeste de Pensilvania, estado al este de Estados Unidos. Pág. 63.

gratificante: que proporciona satisfacción. Pág. 34.

guante, arrojar el: desafiar o provocar a una lucha o una competición. De la costumbre de la Edad Media de arrojar el guante a su oponente para desafiarle. Pág. 106.

H

halagador: que halaga, que expresa respeto, admiración o alabanza. Pág. 29.

halo, efecto de: se refiere a un fenómeno de la visión, en el que un halo (anillos de luz brillante y oscuros) aparece alrededor de las fuentes de luz visible. Pág. 73.

hándicap: circunstancia desfavorable, desventaja. Pág. 29.

Hechos, Los: sección regular de la revista *Astounding Science Fiction (Ciencia Ficción Asombrosa)* dedicada a las cartas de los lectores. Pág. 37.

Heinlein, Robert: Robert "Bob" Heinlein (1907–1988), autor norteamericano considerado uno de los escritores más importantes de ciencia ficción. Surgió durante la Edad de Oro de la ciencia ficción (1939– 1949) y escribió muchas novelas, entre ellas la clásica *Stranger in a Strange Land (Forastero en Tierra Extraña),* (1961). Ganó cuatro premios Hugo y se le obsequió con el primer premio Grand Master Nebula por los logros a lo largo de su vida en el campo de la ciencia ficción. Pág. 3.

Hell's Kitchen: apodo que se da a una parte del oeste de Manhattan, en la ciudad de Nueva York, conocida por la marginación y criminalidad en algunas de sus áreas a finales del siglo XIX y principios del XX. Aquí la traducción al español de Hell's Kitchen es "cocina del infierno". Pág. 7.

hereditaria: (respecto a una característica o enfermedad) capaz de transmitirse de los padres a sus hijos o descendientes. Pág. 35.

Hermitage House: compañía editorial en la ciudad de Nueva York, Estados Unidos, fundada en 1947 por el editor y publicista Arthur Ceppos (1910–1997). En mayo de 1950, Hermitage House fue la primera en publicar *Dianética: La Ciencia Moderna de la Salud Mental*. Pág. 24.

heurístico, ca: que usa experimentos, evaluaciones o métodos de prueba y error; que implica investigación y conclusiones basadas en una funcionalidad invariable. Pág. 27.

hiedra, paredes cubiertas con: la hiedra es una planta trepadora, que siempre está verde. Esta expresión se usa en sentido figurado para referirse a una institución educativa, debido a que las paredes de muchos colegios y universidades importantes tradicionalmente está cubiertas con hiedra. Pág. 54.

hígado, extracto de: polvo seco marrón que procede del hígado animal, usualmente de ganado. El extracto de hígado se usa para hacer medicinas, ya que puede estimular la producción de células rojas. Se utiliza para aumentar la función del hígado, tratar enfermedades crónicas del mismo y prevenir su daño, así como también incrementar el desarrollo muscular y mejorar la resistencia. Pág. 74.

hipnoanálisis: método de psicoanálisis en el que se hipnotiza a un paciente para intentar conseguir datos analíticos y reacciones emocionales tempranas. Pág. 30.

hipocondriaco: persona que sufre de hipocondría, exagerada ansiedad por su salud, a menudo con enfermedades imaginarias. Pág. 18.

hipotecar: realizar un acuerdo, mediante el cual alguien recibe un préstamo de una organización para comprar algo que implica una cantidad grande, por ejemplo, una casa. Como garantía de que se pagará el préstamo, el que recibe el préstamo le promete al que le otorgó el préstamo que este puede tomar posesión de la propiedad, en caso de que no le pague el préstamo. Pág. 119.

holístico, ca: relativo al *holismo,* doctrina que defiende o apoya la concepción de cada realidad como un todo, distinto de la suma de las partes que lo componen. Pág. 32.

Homo Novis: hombre nuevo; de las palabras en latín *homo,* hombre, y *novis,* nuevo. Pág. 54.

homónimo: se aplica a la palabra que coincide con otra en la escritura o en la pronunciación, pero tiene distinto significado y origen etimológico. Pág. 80.

horizonte: conjunto de posibilidades o perspectivas que se ofrecen en un asunto, situación o materia. Pág. 26.

Hospital Naval de Oak Knoll: hospital naval situado en Oakland, California, Estados Unidos, donde LRH pasó un tiempo recuperándose de las lesiones sufridas durante la Segunda Guerra Mundial (1939–1945), e investigando los efectos de la mente en la recuperación física de los pacientes. Pág. 15.

humanidades: ramas del aprendizaje que conciernen al pensamiento y a las relaciones humanas, a diferencia de las ciencias; especialmente la literatura, la filosofía, la historia, etc. (Originalmente, las *humanidades* se referían a la educación que capacitaría a una persona a pensar libremente y a juzgar por sí misma, a diferencia de un estudio restringido de las destrezas técnicas). Pág. 107.

huumana: forma de escribir que representa una pronunciación informal de la palabra *humana.* Pág. 17.

I

ilustrado: se aplica a la persona que tiene un nivel cultural muy alto. Pág. 44.

ímpetu: energía o resolución con que una persona obra o actúa. Pág. 82.

impoluto: que no tiene ninguna mancha y está absolutamente limpio. Pág. 81.

impulsos, cuatro: el empuje, la fuerza y el propósito de la vida: ¡SUPERVIVENCIA!, en sus cuatro manifestaciones: uno mismo, el sexo, el grupo y la humanidad. Pág. 56.

inaccesible: inalcanzable, que no puede tener acceso a un engrama. Pág. 92.

índice: proporción en la que algo sucede, por ejemplo, algo indeseado. Pág. 32.

indomable: se aplica a la persona que no se deja someter o controlar por nada ni nadie. Pág. 54.

inducir: producir, causar, dar lugar a algo. Pág. 19.

inestable: que no puede mantener el equilibrio. En el contexto del miembro de la expedición, se refiere a que es incapaz de tener buenos juicios. Pág. 27.

infarto: muerte de un órgano o parte de él por falta de riego sanguíneo debido a obstrucción de la arteria correspondiente. Pág. 32.

Infierno, sentir el aliento ardiente del: referencia a una experiencia cercana a la muerte, como si uno estuviera muy cerca del fuego del infierno y que pudiera sentir el calor ardiente que emana de él. Pág. 38.

infiltrar: introducirse subrepticiamente en un lugar u organización con fines de espionaje o sabotaje. Pág. 105.

inframundo: una región que se encuentra o se piensa que se encuentra por debajo de una región ordinaria. Pág. 2.

inmundicia: porquería o suciedad que resulta de la pobreza o del descuido. Pág. 8.

inmunidad: exención o protección de algo no placentero, como un deber o un castigo, y al cual otros están sujetos. Pág. 108.

innato: relativo a la naturaleza de un ser. Pág. 43.

Instituto Médico Naval: el *National Naval Medical Center (Centro Médico Naval Nacional),* también conocido como *Bethesda Naval Hospital (Hospital Naval de Bethesda),* uno de los centros médico militares más grandes de Estados Unidos. Fundado a principios de 1940, el centro consistía originalmente de un hospital, escuelas médicas y dentales y del Instituto de Investigación Médico Naval. Este está dirigido por la Marina de Estados Unidos. Pág. 105.

intelecto: capacidad de pensar y adquirir conocimiento, especialmente de un orden elevado o complejo; capacidad mental. Pág. 80.

introspección: el examen mental detallado de los sentimientos, pensamientos y motivos de uno. Pág. 1.

inversamente proporcional: proporción de dos cantidades que varían de forma inversa, (inverso es opuesto a algo o en sentido contrario a algo); es decir, una cantidad aumenta en la misma proporción que la otra disminuye. Pág. 88.

irascible: que se enfada fácilmente. Pág. 3.

irrefutable: que no se puede contradecir, rebatir o invalidar con algún argumento o razón. Pág. 69.

Islas Griegas: conjunto de unas dos mil islas que pertenecen a Grecia. Pág. 52.

isleño de Banks: nativo o habitante de la isla de *Banks,* una isla del noroeste de Canadá en el Océano Ártico. Al confiar en los chamanes para la interpretación espiritual, algunos habitantes creían que podían ver los espíritus de sus antepasados o amigos en la próxima vida mirando las *luces del norte,* luces coloreadas que se ven en las regiones septentrionales. *Véase también* **chamanismo.** Pág. 31.

J

Japón todavía devastado: referencia al estado de Japón en 1950. Al final de la Segunda Guerra Mundial (1939–1945), la cuarta parte de sus edificios estaban en cenizas debido a los continuos bombardeos de las ciudades y las bombas atómicas en las ciudades de Hiroshima y Nagasaki. La producción era solamente un tercio de su nivel antes de la guerra y no fue hasta 1955 que la economía de Japón volvió a su nivel anterior a la guerra. Pág. 78.

Jefferson: Thomas Jefferson (1743–1826), tercer presidente de Estados Unidos (1801–1809) y autor de la Declaración de Independencia (1776) que formuló principios fundamentales de derechos humanos (entre los que se incluía que "todos los hombres están dotados por su Creador de ciertos derechos inalienables, entre los que se encuentran la vida, la libertad y la búsqueda de la felicidad") y proclamó la independencia de las colonias americanas de Inglaterra. Pág. 99.

jocosamente: se aplica a las cosas que se dicen sin seriedad, con una mezcla de broma y burla. Pág. 50.

John Hopkins: referencia al Hospital John Hopkins que comparte espacio con la Universidad John Hopkins, ubicado en Baltimore, Maryland. La universidad es conocida por la investigación, enseñanza y atención a los pacientes; el hospital por conducir una extensa investigación médica. Pág. 71.

Joisey: deletreo que representa una pronunciación jocosa de la palabra *Jersey,* como en *Nueva Jersey,* estado del este de Estados Unidos, en la costa Atlántica, cerca de Nueva York. Pág. 52.

***Journal,* edición de mayo:** referencia a la publicación de mayo de 1950 del *Ladies Home Journal (Diario Femenino del Hogar),* una de las más importantes revistas de Estados Unidos en el siglo XX, en la cual aparecía el artículo de la Sra. Byall sobre ayuda a discapacitados. Pág. 64.

Jung: Carl Gustav Jung (1875–1961), psiquiatra suizo que discrepó con Freud respecto al énfasis en el sexo como fuerza impulsora, y en su lugar presentó la teoría de que todos los seres humanos heredan lo que él llamó un "inconsciente colectivo", que contiene símbolos y recuerdos universales de su pasado ancestral, como los que se encuentran en las religiones, los mitos y los cuentos de hadas. Pág. 25.

K

kamikaze: miembro de un cuerpo especial en la Fuerza Aérea japonesa durante la Segunda Guerra Mundial (1939–1945), con la misión suicida de hacer chocar una aeronave cargada con explosivos contra el objetivo enemigo, especialmente buques de guerra. Pág. 27.

Kansas City: ciudad en el oeste de Missouri, estado en la zona centro de Estados Unidos. Pág. 92.

key-in, hacer: literalmente, *key* significa "llave", un pequeño aparato manual para abrir, cerrar o accionar contactos electrónicos. *Hacer key-in* se usa aquí para describir un engrama latente que se ha activado y que ahora está conectado. Pág. 29.

L

LA Daily News: periódico fundado en Los Ángeles, California a principios de la década de 1920, originalmente llamado el *Daily Illustrated News* de Los Ángeles. A pesar de tener una gran circulación durante la década de 1940, declinó de forma gradual y dejó de publicarse en 1954. Pág. 105.

laurel: premio o gloria obtenidos por un éxito o por un triunfo. El *laurel* es un pequeño árbol siempre verde natural de las tierras cercanas al Mar Mediterráneo. Tradicionalmente, sus ramas naturales o imitadas en bronce u otro material, formando una corona o en otra forma, se han empleado para otorgarlas o usarlas como símbolo de gloria y fama. Pág. 54.

leyes naturales: principios o cuerpos de leyes considerados provenientes del razonamiento correcto y observaciones de la naturaleza. Pág. 27.

Liberado: en Dianética, un Liberado es un individuo a quien se le ha quitado mucha tensión y ansiedad mediante la terapia de Dianética. Pág. 44.

Libro Uno: *Dianética: La Ciencia Moderna de la Salud Mental,* texto básico sobre las técnicas de Dianética, escrito por L. Ronald Hubbard y publicado por primera vez en 1950. También se le menciona como el Primer Libro. Pág. 3.

Life: nombre de una revista semanal norteamericana, presentada en 1936 por el editor de la revista *Time,* Henry Luce (1898–1967). Pág. 54.

liga: unión o asociación entre personas, grupos o entidades que tienen algo en común. Pág. 26.

línea de partido: se refiere a las políticas y prácticas autorizadas o acordadas de un grupo, o las ideas y objetivos de sus líderes. Pág. 106.

línea directa: proceso de auditación que consiste en establecer una línea entre el tiempo presente y algún incidente del pasado, y establecer esa línea directamente y sin desvíos. Esto permite al preclear localizar la fuente de la dificultad, un engrama que tiene valor de orden sobre él. Mediante la observación de que existe una diferencia en el tiempo y el espacio de aquella condición y la condición actual, el preclear puede entonces poner la condición bajo su propio control. Pág. 95.

línea temporal: periodo de tiempo de un individuo desde la concepción hasta el tiempo presente, sobre el cual se encuentra la secuencia de eventos de su vida. Pág. 44.

Livingstone: David Livingstone (1813–1873), médico y misionero escocés. Por más de treinta años exploró África del sur y central, cubriendo un tercio del continente mientras intentaba encontrar una ruta comercial dentro del corazón de África. Fue el primer europeo que vio las cataratas del Río Zambezi (que llamó cataratas de Victoria en honor a la reina de Inglaterra) y el primer europeo que cruzó la anchura total del sur de África. Sus exploraciones revelaron que el interior del continente africano no era una tierra seca incultivable, como muchos de los geógrafos del siglo XIX creían. Pág. 27.

lobotomía prefrontal: operación psiquiátrica en la que se practican agujeros en el cráneo, penetrando en el cerebro y cortando los accesos nerviosos a los dos lóbulos frontales, lo que da como resultado que el paciente se transforme en un vegetal en el ámbito emocional. Pág. 25.

López, Sra.: nombre inventado. Pág. 54.

Lucrecio: (alrededor del 98–55 a. C.) poeta romano autor del poema didáctico inconcluso *Sobre la Naturaleza de las Cosas,* publicado en seis volúmenes, que expone de manera resumida una ciencia completa del universo. El poema incluye una explicación de las etapas de la vida en la Tierra y el origen y desarrollo de la civilización, además de ideas respecto a la evolución y producción, distribución y extinción de diversos seres vivos, similares a los que se menciona en antiguos escritos indios (orientales) sobre el principio de la evolución. Pág. 99.

M

malaria: enfermedad infecciosa transmitida por la picadura de mosquitos infectados. Común en los países cálidos, la enfermedad se caracteriza por fiebre y escalofríos recurrentes. Durante las guerras del siglo XX se perdieron más soldados a causa de la malaria que de las balas. Pág. 27.

mandato judicial: orden legal que se entrega para solicitar la presentación ante un tribunal de la ley. Pág. 113.

Manhattan: una de las cinco partes en que se divide la ciudad de Nueva York, ubicada en la isla de Manhattan. El principal centro económico de la ciudad. Pág. 7.

maníaco: que se caracteriza por excitabilidad anormal, sensaciones exageradas de bienestar, etc. Pág. 29.

manzana de la discordia: tema que causa desacuerdo o discusión. Pág. 42.

marca registrada: marca de fábrica o de comercio que, inscrita en el registro competente, goza de protección legal. Pág. 114.

marco de referencia: conjunto de conceptos, valores, costumbres, puntos de vista, etc. según los que un individuo o grupo percibe o evalúa datos, comunica ideas y regula su comportamiento. Pág. 42.

Marruecos Francés: porción del Marruecos actual, reino localizado en el noroeste de África que fue controlado por Francia y España entre 1912 y 1956. Pág. 38.

mártir: persona que padece privaciones o sufrimientos por alguien o algo. Pág. 97.

Maryland: estado al este de Estados Unidos. Su abreviatura es Md. Pág. 16.

Mathiew, Hubert: Hubert "Matty" Mathieu (1897–1954), pintor, escultor, ilustrador, conferencista y escritor norteamericano. Mathieu creó una gran variedad de arte y era bien conocido por producir ilustraciones para revistas y periódicos, al igual que por sus retratos. Pág. 7.

May, Rollo: (1909–1994) psicólogo y escritor norteamericano, autor de un artículo negativo sobre *Dianética: La Ciencia Moderna de la Salud Mental,* en el periódico *New York Times.* Pág. 106.

Mayne: Edna Mayne van Vogt (1905-1975), escritora canadiense de ciencia ficción cuyas historias se publicaron bajo el nombre de E. Mayne Hull. Fue la primera mujer de Alfred Elton van Vogt. Pág. 86.

medicina física: rama de la medicina que trata con la diagnosis de lesiones o condiciones físicas y su tratamiento por medios externos, incluyendo calor, masaje o ejercicio, más que con medicación o cirugía. Pág. 71.

médicos residentes: médico que practica la medicina en una clínica u hospital y a menudo supervisa a otros médicos que están en entrenamiento como parte significativa de su trabajo. Un médico residente tiene la responsabilidad final, tanto legal como de otro tipo, por el cuidado de los pacientes, aun cuando muchas de las decisiones de minuto a minuto se toman por el personal médico. Pág. 72.

meditar: considerar algo profunda y minuciosamente. Pág. 57.

mejilla, poner la otra: responder de forma sumisa a las provocaciones o malas acciones de otro. Pág. 108.

memorándum: mensaje especial que se escribe para la circulación interna en una compañía, el cual tiene que ver con los asuntos de la misma. Pág. 49.

mente analítica: esa mente que computa; el "yo" y su consciencia. Pág. 28.

Mente Infinita: teoría o creencia de que hay una mente absoluta, la mente del Todo, presente en todas partes e independiente del tiempo y el espacio; la fuente y fundamento de la existencia, poseedora de todo el poder, sabiduría y grandeza posibles, a veces dicho en alusión a Dios. Pág. 42.

mente reactiva: porción de la mente que archiva y retiene el dolor físico y la emoción desagradable y que trata de dirigir al organismo sólo a base de estímulo-respuesta. Sólo piensa en identidades. Pág. 29.

mercantilismo: inclinación o tendencia a dar importancia excesiva al dinero y a todo lo que le rodea. Pág. 89.

Mesa Redonda: nombre de un grupo de discusión de Dianética durante la década de 1950. Una *Mesa Redonda* consiste en un número de personas que se juntan para dar conferencias, discutir algún tema, etc., y que a menudo se sientan en una mesa redonda. Pág. 86.

método científico: medio de adquirir conocimiento que emplea la investigación científica y mediante el cual se identifica una situación o problema, se reúnen datos y hechos pertinentes en forma continua, se formula una respuesta y se verifica comparándola con muchas observaciones y experimentos. Pág. 24.

Metropolitan Life Tower: rascacielos de 213 metros de altura y cincuenta pisos en la ciudad de Nueva York, construido entre 1893 y 1909, que sirvió de sede mundial para la Compañía de Seguros Metropolitan Life, una firma de seguros norteamericana fundada a mediados de 1860. Pág. 54.

Mil y una Noches, Las: recopilación de cuentos de Persia, Arabia, India y Egipto, que se compilaron durante cientos de años. Incluyen los cuentos de Aladino y Alí Babá, y han llegado a ser especialmente populares en los países occidentales. Pág. 35.

misceláneo: mixto, compuesto de cosas distintas. Pág. 85.

misticismo: creencia de que es posible alcanzar el conocimiento de las verdades espirituales y de Dios mediante la contemplación o el pensamiento profundo y cuidadoso. Pág. 35.

místico, ca: que incluye misterio o razón oculta. Pág. 35.

monopolio: situación de mercado en que un solo vendedor controla la oferta de un producto, sin que exista competencia. Pág. 105.

monotonía: falta de variedad en cualquier cosa. Pág. 81.

mordaz: se aplica al que critica a las personas o las cosas con ironía aguda y mal intencionada, así como a su ingenio y a lo que dice. Pág. 43.

Morgan, Parker: miembro de la junta de una antigua organización de Dianética. Pág. 85.

N

naftalina, entre bolas de: en sentido figurado, guardado o reservado. Literalmente, las *bolas de naftalina* son unas bolas pequeñas, tratadas químicamente, que repelen la polilla de la ropa que está guardada. Pág. 17.

narcosíntesis: hipnotismo inducido mediante drogas. Pág. 15.

nazi: miembro del Partido Nacional Socialista Obrero Alemán, que en 1933, bajo el mando de Adolf Hitler, se apoderó del control político del país, suprimiendo toda oposición y estableciendo una dictadura sobre todas las actividades de la gente. Promovió e impuso la creencia de que el pueblo alemán era superior y que los judíos eran inferiores (y por lo tanto debían ser eliminados). El partido fue abolido oficialmente en 1945 al término de la Segunda Guerra Mundial. *Nazi* viene de la primera parte de la palabra alemana para el nombre del partido, *Nationalsozialistische),* que se pronuncia *nazi* en alemán. Pág. 105.

neurastenia: condición caracterizada por fatiga, irritabilidad, debilidad, ansiedad, etc. Pág. 74.

New York Times: diario establecido en 1851 y publicado en la ciudad de Nueva York. Su suplemento dominical incluye reseñas de libros y la prestigiosa lista de best sellers del *New York Times.* Pág. 49.

nomenclatura: sistema establecido de nombres o designaciones que se utiliza en un campo en particular. Pág. 2.

Novena Sinfonía de Beethoven: novena y última sinfonía escrita por el compositor alemán Ludwig van Beethoven (1770–1827), terminada en 1824. El primer movimiento es el primero de las cuatro secciones de la sinfonía (Una *sinfonía* es una elaborada composición escrita para orquesta y usualmente de gran proporción y elementos variados. La mayoría de las sinfonías son sólo instrumentales; la Novena sinfonía de Beethoven incluye una sección final con coro). Pág. 66.

Nueva Jersey: estado en el este de Estados Unidos, en la costa del Atlántico, cerca de Nueva York. Pág. 3.

Nueva York: ciudad y puerto importante en el sudeste del estado de Nueva York, en el este de Estados Unidos. Pág. 7.

número siete, tecla del: analogía hecha por LRH entre la mente reactiva y una computadora o una calculadora en las que el número siete se ha quedado atascado de modo que siempre se añade en todo cálculo. Por supuesto, no puede calcular correctamente ni obtener respuestas adecuadas mientras exista esta condición. Pág. 57.

O

80-85 sobre 40-50: baja presión sanguínea. *80-85* se refiere a la presión máxima ejercida cuando el corazón se contrae para sacar la sangre y ponerla en el sistema circulatorio y *40-50* se refiere a la presión cuando el corazón se relaja y se llena de sangre. La presión sanguínea de un adulto se considera normal si está en el rango de 120 sobre 80 (120/80). La presión sanguínea baja puede estar causada por shock, mala nutrición o cualquier otra enfermedad o lesión. Pág. 74.

ocular: perteneciente o relativo a los ojos. Pág. 73.

Ohio: estado en el centro norte de Estados Unidos. Pág. 38.

ojo del huracán: el área de calma que se encuentra en el centro de una tormenta o un huracán, alrededor de la cual se desplazan vientos a alta velocidad. Usado en sentido figurado. Pág. 1.

omnipresente: que está siempre presente. Pág. 50.

ópera cómica: término que se utiliza para distinguir las óperas que son más ligeras en estilo que las óperas más serias. No necesariamente humorísticas, las óperas cómicas generalmente tratan de gente y lugares comunes y tienen un final feliz comparadas con las óperas serias, que tratan de temas mitológicos o históricos y normalmente terminan de forma trágica. En una ópera cómica el canto se alterna normalmente con pasajes que son mitad cantados y mitad hablados. Pág. 114.

optometrista: especialista en *optometría,* la práctica o profesión de examinar los ojos en busca de defectos en la visión o desórdenes oculares a fin de prescribir lentes correctivos u otro tratamiento adecuado. También llamado oculista. Pág. 74.

orden judicial: documento que enfatiza y le indica a alguien con autoridad que haga algo o se comporte de una forma en particular. Pág. 116.

orgánico: relacionado con los órganos o con un órgano del cuerpo o que los afecta. Pág. 35.

Oriente: países de Asia oriental, especialmente China, Japón y sus países vecinos. Pág. 78.

P

P-39: P-39 Airacobra, fabricado por la Bell Aircraft, fue uno de los principales aviones de combate norteamericanos en servicio a principios de la Segunda Guerra Mundial (1939–1945). El P-39, un avión de un solo asiento y un solo motor, funcionaba mejor en altitudes bajas. Se construyeron más de 9,500 piezas del P-39 antes de que la producción cesara en agosto de 1944. Pág. 38.

P-400: versión del P-39 que originalmente se planeó para ser utilizado por otros países aliados pero que también lo usó Estados Unidos. Los dos aviones eran virtualmente idénticos, a diferencia del tipo de armamento que utilizaban. *Véase también* **P-39.** Pág. 38.

pagaré: documento en el que alguien se compromete a pagar cierta cantidad de dinero en un tiempo determinado. Pág. 116.

paliativo: que calma o hace menos intenso algo negativo, como una pena, un dolor, etc. Pág. 56.

Palm Springs, California: comunidad en el desierto al sureste de California, un estado en la costa oeste de Estados Unidos. Pág. 97.

palmas, extender las: referencia a la acción de un cura que se prepara para administrar la extremaunción a una persona enferma o que se está muriendo. En la Iglesia Católica, el cura coloca las manos en el enfermo o moribundo y reza. Pág. 51.

pantalla para vientos: se refiere a algo que reduce la fuerza del viento; alguna estructura que sirve como protección contra el viento. Pág. 22.

Pantelleria: isla del Mediterráneo ubicada estratégicamente entre la isla de Sicilia y la costa norte de África. Como parte de Italia, Pantelleria estaba muy fortificada durante la Segunda Guerra Mundial (1939–1945) y en la primavera de 1943 fue el objetivo de un fuerte bombardeo por las fuerzas aliadas. Pantelleria se rindió el 11 de junio de 1943, abriendo la puerta a la posterior invasión de Sicilia por las fuerzas aliadas. Pág. 38.

parado: (del verbo parar) detenerse o suspender la ejecución de un designio (propósito, plan o idea que alguien se propone realizar) por algún obstáculo o reparo que se presenta. Pág. 90.

parka: prenda de abrigo de material impermeable por fuera y acolchada por dentro. Pág. 29.

paro al cheque: aviso por parte de depositante, instruyendo a su banco para que se rehúse a pagar un cheque específico girado por el depositante. Pág. 117.

Parsimonia, Principio de la: un principio lógico de acuerdo al cual no se deben suponer más causas o fuerzas que las que sean necesarias para explicar los hechos. Parsimonia se refiere a la administración extrema o excesiva de recursos, de manera que nada se desperdicie. Pág. 25.

patentemente: en forma obvia o clara. Pág. 71.

Pathfinder: revista semanal publicada en Washington, D.C. que cubría la política norteamericana, noticias internacionales y reseñas literarias de cine y ficción. Pág. 42.

patrimonio: conjunto de bienes que pertenecen a una persona o una entidad. Pág. 113.

patrocinio: ayuda o protección que alguien con medios suficientes proporciona a quien lo necesita, especialmente la económica que se ofrece con fines publicitarios. Pág. 89.

Patrulla Costera, puente de la: tipo de barco rápido, al cual también se le conoce como *cazador submarino*. Durante la Segunda Guerra Mundial (1939–1945), uno de los buques de la marina en que L. Ronald Hubbard sirvió fue el PC-815 *(PC* es la abreviatura de *Patrulla Costera,* en inglés *Patrol Coastal),* estuvo a cargo patrullando la costa noroeste del Pacífico. (Un *puente* es una plataforma elevada construida por encima de la cubierta superior de un buque y desde la cual se dirige un barco). Pág. 54.

penicilina: medicamento que mata las bacterias y se usa para tratar una amplia gama de infecciones. Pág. 7.

pequinés: pequeño perro de compañía de raza china con nariz aplastada y corta, pelo muy largo, liso y sedoso y un rabo que se enrosca sobre su lomo. Pág. 54.

percéptico: cualquier percepción sensorial como la vista, el sonido, el olfato, etc. Pág. 28.

ping-pong: en sentido figurado, condición o situación parecida al juego de ping-pong, donde un tema o cuestión rebota de un lado para otro rápidamente y con regularidad entre los individuos. Pág. 106.

Phoenix: ciudad más grande y capital de Arizona, estado en el suroeste de Estados Unidos. Pág. 114.

pie de atleta: infección de los pies causada por hongos y que se caracteriza por picor y piel reseca o agrietada. Pág. 8.

pobre: de poco valor, calidad o significación. Pág. 39.

polio: abreviatura de *poliomielitis,* enfermedad muy extendida en la década de 1950, que normalmente atacaba a niños y adultos jóvenes. Afectaba al cerebro y la médula espinal, con síntomas que iban desde fiebre, dolor de cabeza y vomito, hasta rigidez y debilidad muscular, paralizando en algunas ocasiones a los pacientes (pérdida de movimiento voluntario), de por vida. Pág. 62.

Port-Lyautey: ciudad portuaria en el noroeste de Marruecos, ahora llamada Kenitra. Fue fundada en 1912 cuando los franceses tomaron control de parte de Marruecos. La ciudad se llamó Port-Lyautey desde 1932 a 1956. Fue la ubicación de la estación naval aérea de Estados Unidos hasta 1963. Pág. 38.

pórtico: sitio cubierto y con columnas que se construye delante de los templos u otros edificios suntuosos. Pág. 57.

postrado, da: obligado a permanecer en cama por enfermedad, debilidad o lesión. Pág. 2.

postulado: algo que se sugiere o supone cierto como base para razonar. Pág. 71.

postura: una posición o actitud con respecto a un tema en particular. Pág. 82.

potencia: Nación o Estado independientes, especialmente los que tienen gran poder económico y militar. Pág. 80.

precedentes, sin: que no ha ocurrido antes. Pág. 113.

preclear: persona que está recibiendo auditación y que todavía no es Clear. El Clear es una persona no aberrada. Es racional en el sentido de que desarrolla las mejores soluciones posibles según los datos que tiene y desde su punto de vista. Pág. 71.

preconcebida: idea formada sin juicio crítico y sin tener en cuenta los datos de la experiencia. Pág. 45.

predisponer: preparar, disponer anticipadamente algo o el ánimo de alguien para un fin determinado. Pág. 44.

predominio: poder, superioridad o fuerza dominante que se tiene sobre alguien o algo. Pág. 39.

prefacio: algo que se dice o escribe como preparación para lo que es la materia principal del tratado o discurso. Pág. 26.

premio gordo: el mayor premio en un juego o sorteo. Usado figurativamente con el sentido de conseguir un éxito grande o inesperado. Pág. 63.

premisa: algo que se supone que es cierto y que se emplea como base para desarrollar una idea. Pág. 19.

prenatal: que ocurre, existe o tiene lugar antes del nacimiento. En Dianética se refiere a las experiencias e incidentes que suceden y se registran en la mente mientras se está en la matriz antes del nacimiento. Pág. 66.

prestigio: buena fama que disfruta una persona, como tal persona o por su profesión, e influencia que tiene por ella. Pág. 43.

pretencioso: que pretende ser más de lo que es. Pág. 69.

primicia: noticia que un periodista da a conocer antes que otros. Pág. 42.

principio: doctrina o idea fundamental en algún tema. Pág. 25.

procesamiento: lo mismo que la *auditación,* la aplicación de técnicas de Dianética (llamadas *procesos).* Los procesos tienen que ver directamente con incrementar la capacidad de la persona para sobrevivir, con el incremento de su cordura o capacidad para razonar, su capacidad física y su disfrute general de la vida. Pág. 7.

profano: inexperto o no entendido en una materia. Pág. 107.

profesionalización: transformación en profesional. Pág. 39.

progenie: hijos, prole (descendientes) considerados como grupo o colectivamente. Pág. 28.

pronombre: palabra que se utiliza para designar a alguien o algo sin emplear su nombre. Ejemplos: *él, ella, suyo, quien.* Pág. 80.

pronosticar: referido a algo que sucederá en un futuro, adivinarlo a raíz de determinados indicios. Pág. 41.

propenso a accidentes: que causa o atrae accidentes en mayor medida que cualquier otra persona. Pág. 31.

protegido, da: persona que recibe la protección, el apoyo y la confianza de otra que tiene más poder social o económico. Pág. 63.

prueba (de imprenta): muestra provisional de un texto escrito que se utiliza para corregir los errores que tiene el texto antes de imprimirlo definitivamente. Pág. 53.

psicocirugía: uso de una operación del cerebro como supuesto tratamiento de un desarreglo mental. Pág. 105.

psicólogo popular: se refiere a una persona que practica un tipo de psicología que es simplista y que se difunde en una base comercial. Las consultas, los conceptos, los términos, etc., con frecuencia se usan en forma superficial y son popularizados por ciertas personalidades, revistas, televisión, columnas periodísticas y medios similares. Pág. 106.

psicométrico, ca: relacionado con la psicometría, hacer tests a individuos para averiguar su inteligencia, aptitud y diversos rasgos de la personalidad. Pág. 97.

psiconeurótico, ca: en psiquiatría, relativo a la *psiconeurosis,* desarreglo en el que las sensaciones de ansiedad, pensamientos obsesivos, actos compulsivos y dolencias físicas sin evidencia objetiva de enfermedad, en diversos grados y patrones, dominan la personalidad. Pág. 63.

psicosomático: *psico* se refiere a la mente, y *somático* se refiere al cuerpo; el término *psicosomático* quiere decir que la mente hace que el cuerpo enferme o se refiere a dolencias creadas físicamente en el cuerpo por la mente. La descripción de la causa y fuente de las enfermedades psicosomáticas se encuentra en *Dianética: La Ciencia Moderna de la Salud Mental.* Pág. 1.

psique: la mente. Pág. 63.

Publishers Weekly: revista internacional de noticias para la industria editorial y de venta de libros, fundada en Estados Unidos en 1872. Proporciona noticias detalladas para la industria editorial, con información sobre best sellers, estadísticas y reseñas anuales de miles de libros. La revista la reciben librerías, bibliotecas, medios de comunicación, agentes literarios, editoriales y otros. Pág. 51.

pueril: del niño, o con alguna de las características que tradicionalmente se le atribuyen. Pág. 57.

pulla: dicho agudo o irónico, especialmente el que tiene intención de picar o herir a alguien. Pág. 43.

pulso: número de veces que el corazón late en un minuto. Pág. 74.

Q

quinina: medicamento de sabor amargo. Utilizado principalmente para aliviar el dolor y la fiebre, la quinina fue una vez el único tratamiento disponible para la malaria. Sin embargo, debido a sus efectos secundarios desfavorables, fue reemplazada en buena parte por otros medicamentos. Pág. 42.

R

radiactivo: usado para describir una sustancia que emite energía nociva en forma de corrientes de partículas muy pequeñas, debido a la descomposición de los átomos dentro de las mismas. Usado en sentido figurado. Pág. 63.

Raines, George N.: George Neely Raines (1908–1959), médico en la Marina de Estados Unidos y jefe de neuropsiquiatría (campo que trata de desarreglos de la mente y el sistema nervioso) en el Centro Médico de la Marina en Bethesda, Maryland. Raines estaba a cargo del grupo de psiquiatras que atendían a James Forrestal, antiguo secretario de defensa de Estados Unidos, quien se suicidó durante un tratamiento psiquiátrico en ese lugar. *Véase también* **Forrestal.** Pág. 105.

recepción: acción o hecho de recibir algo. Pág. 29.

recorrer: auditar o procesar. Pág. 44.

reducción: la acción de sacar toda la carga o el dolor de un incidente. *Reducir* significa, técnicamente hablando, liberar de material aberrativo tanto como sea posible para hacer que el caso avance. Pág. 97.

reestimular: reactivar algún incidente del pasado por la percepción de algo semejante a su contenido en el entorno del individuo. Pág. 20.

regalía: participación en los ingresos o cantidad fija que se paga al propietario de un derecho a cambio del permiso para ejercerlo. Pág. 82.

reguero de pólvora, extenderse como un: difundirse algo muy rápidamente. Pág. 82.

reinar: tener control, dirigir o influenciar; que prevalece o que es frecuente. Pág. 90.

repertorio: colección o recopilación de cosas. Pág. 82.

repollo de zorrillo: planta que crece en las zonas pantanosas de América del Norte, característica por su desagradable mal olor. Sus flores crecen formando un pico grueso. Sus hojas miden de 30 a 90 cm de largo. Pág. 22.

represión: acción, proceso o resultado de suprimir memorias o deseos inaceptables llevándolos al inconsciente o manteniéndolos fuera de la mente consciente. Pág. 99.

reverie: leve estado de "concentración" que no hay que confundir con la hipnosis; en el reverie, la persona es completamente consciente de lo que está teniendo lugar en el presente. Pág. 30.

riachuelo con diez litros de agua: alusión humorística a un arroyo pequeño (riachuelo) que tiene sólo diez litros de agua. Pág. 54.

Ribera Occidental: parte de la ciudad de París que se encuentra al sur del río Sena, un famoso centro de vida artística y estudiantil. Pág. 7.

Rogers, Don (Donald): antiguo miembro del personal de la primera fundación de Dianética en Elizabeth, Nueva Jersey, Estados Unidos. Pág. 85.

rollo: en lenguaje familiar, asunto del que se habla o trata. Pág. 117.

S

sagrado: que es digno de respeto y adoración y no puede ser dañado o puesto en duda, por estar relacionado con la divinidad. Pág. 57.

Santa Mónica: ciudad del sudoeste de California en el Océano Pacífico; un suburbio de Los Ángeles. Pág. 106.

Satevepost: *Saturday Evening Post,* revista de temas generales con redacciones y fotografías sobre una amplia gama de temas. Se publicó semanalmente desde 1821 hasta 1969, año en que dejó de publicarse, pero fue revivida como publicación mensual en 1971. Pág. 51.

Savannah: puerto marítimo en la costa atlántica en Georgia, estado suroriental de Estados Unidos. Pág. 15.

Sci Am: abreviatura para *Scientific American. Véase también* **Scientific American.** Pág. 54.

Scientific American: revista científica popular publicada por primera vez en 1845. Da a conocer los más importantes descubrimientos sobre ciencia y tecnología, especialmente mediante la publicación de artículos que escriben los mismos que han llevado a cabo el trabajo descrito. Pág. 51.

Scientology: estudio y tratamiento del espíritu en relación a sí mismo, los universos y otros seres vivos. La palabra Scientology viene del latín *scio,* "saber en el sentido más amplio de la palabra" y la palabra griega *logos,* que significa "estudio". En sí la palabra quiere decir en su sentido literal "saber cómo saber". Pág. 96.

Seattle: ciudad en la zona noroeste del estado de Washington en el noroeste de Estados Unidos, e importante puerto marítimo y centro comercial. Pág. 95.

secuencia del esperma: secuencia de incidentes que le ocurren al esperma antes de la concepción y que pueden contener dolor e inconsciencia. Pág. 85.

sedación: uso de medicinas (llamadas *sedantes* o *tranquilizantes*) para inducir el sueño o reducir la tensión nerviosa. Grandes dosis de tales medicamentos pueden crear un efecto hipnótico. Los sedantes generan hábito y pueden causar severos problemas de adicción. Pág. 105.

semántica general: enfoque filosófico del lenguaje, desarrollado por Alfred Korzybski (1879–1950), que buscaba una base científica para una clara comprensión de la diferencia entre las palabras y la realidad, y las formas en que las palabras mismas pueden influenciar y limitar la capacidad del hombre para pensar. Korzybski creía que los hombres identifican equivocadamente las palabras con los objetos que representan, y que tienen reacciones no óptimas ante las palabras basadas en experiencias del pasado. Desarrolló también un sistema altamente organizado de las diferentes categorías de percepciones (llamadas sensaciones), y creó una tabla precisa que mostraba sus diversas características y propiedades físicas. Pág. 29.

semi-: partícula que significa "medio" y, a veces, "casi, algo" o "no del todo". Pág. 61.

Sena: río en Francia que fluye al noroeste a través de París y hacia el canal de la Mancha, con unos 773 kilómetros de longitud. Pág. 7.

sensación orgánica: cualquiera de las diversas percepciones que le dicen al sistema nervioso el estado de los diversos órganos del cuerpo. Pág. 28.

servicio informativo: agencia que recoge y distribuye información sobre eventos actuales. Pág. 54.

Shakespeare: William Shakespeare (1564–1616), poeta y dramaturgo inglés; el autor más famoso de toda la literatura inglesa. Pág. 44.

simbólico: que tiene un valor simplemente representativo. Pág. 88.

sinusitis: inflamación de uno o ambos senos nasales (los espacios que hay en el cráneo detrás de la nariz de una persona). Pág. 20.

socavar: debilitar física o moralmente. Pág. 106.

Sociedad Gerontológica: organización para el cuidado de la salud sin fines de lucro y que promueve la investigación sobre el envejecimiento y distribuye información a investigadores, educadores, clínicos y líderes de decisión y opinión. La *gerontología* es el estudio científico del proceso de envejecimiento y los problemas asociados con la edad avanzada. Pág. 16.

sociopolítico: combinación o interacción de factores sociales y políticos. Pág. 106.

soltar amarras: además de su sentido propio, de realizar esa operación al zarpar una embarcación, se emplea en sentido figurado con el significado de desligarse alguien de cierta dependencia o apoyo. Pág. 113.

somático: la palabra *somático* se usa en Dianética para denotar el dolor o malestar físicos de cualquier clase. Puede significar verdadero dolor, como el causado por un corte o golpe; o puede significar malestar, como el debido al calor o al frío; puede significar picor; en resumen, cualquier cosa físicamente incómoda. Es un estado de ser físico no superviviente. Pág. 30.

sombra, a la: en prisión. Pág. 116.

sombrío: referido a un lugar, que tiene poca luz y que suele tener sombras. Pág. 8.

somero: ligero, superficial o hecho con poca profundidad. Pág. 41.

sondear las profundidades: explorar por completo o experimentar la parte más profunda de algo. Pág. 38.

sondeo: alcanzar el fondo de algo; examinar de cerca o profundamente para descubrir o entender algo. Pág. 1.

sónico: recordar un sonido oyéndolo otra vez. Pág. 31.

soslayar: pasar por alto o de largo algo, dejando de lado alguna dificultad. Pág. 106.

Southern Pacific Railroad (Ferrocarril del Pacífico Sur): importante compañía ferroviaria fundada al final del siglo XIX y responsable de la construcción de miles de kilómetros de vías férreas a lo largo del oeste y suroeste de Estados Unidos. Pág. 117.

Spencer: Herbert Spencer (1820–1903), filósofo inglés conocido por aplicar las doctrinas científicas de la evolución a la filosofía y la ética. Argumentaba que la evolución —cuyos principios venían originalmente de las antiguas escrituras indias (orientales)— es en realidad un movimiento progresivo donde los individuos cambian sus características y costumbres hasta estar perfectamente adaptados a las circunstancias, en cuyo momento ya no se necesitan nuevos cambios. Pág. 99.

Spinoza: Benedict Baruch Spinoza (1632–1677), filósofo holandés que creía que "Dios o la Naturaleza" eran la única sustancia y todo lo que existía. Creía que Dios y la Naturaleza eran lo mismo y que todos los objetos y pensamientos eran formas y manifestaciones de Dios. Pág. 52.

Spitfire: avión de combate británico de un solo asiento que fue uno de los más rápidos y efectivos de la Segunda Guerra Mundial (1939–1945). Famoso por sus maniobras y por su velocidad de vuelo y su capacidad de elevación, también estaba fuertemente armado con bombas y ametralladoras. Pág. 38.

St. Petersburg: ciudad al oeste de Florida, estado ubicado en la zona sureste de Estados Unidos, cerca de Tampa. Pág. 74.

Street & Smith: gran compañía editorial estadounidense establecida a mediados del siglo XIX, la cual publicó gran cantidad de textos y revistas de pulps a finales de este siglo y principios del siglo XX, tales como la revista *Astounding Science Fiction (Ciencia Ficción Asombrosa)* y la revista *Unknown*. Pág. 35.

subatómico: de o relacionado con los fenómenos que ocurren dentro de los átomos o las partículas más pequeñas que estos. Pág. 34.

subsidiar: apoyar mediante el otorgamiento de dinero. Pág. 89.

subvención: una concesión o contribución de dinero; ayuda monetaria concedida por un gobierno a una persona o grupo para apoyar una empresa considerada de interés para el público; ayuda financiera otorgada por una persona o gobierno a algún otro. Pág. 90.

sucinto, ta: breve, preciso o con las palabras justas. Pág. 50.

sugestión positiva: también conocida como *sugestión posthipnótica*. En hipnosis, una sugestión u orden que se le da a un sujeto hipnotizado, quien entonces la obedece sin saberlo. También, cualquier frase u orden en la mente que actúa como una orden que se da a una persona hipnotizada. Pág. 19.

sulfamida: grupo de fármacos que se emplean para tratar infecciones y quemaduras a base de impedir el crecimiento de bacterias. Pág. 8.

Superman: hombre de capacidades y cualidades sobrehumanas. *Superman* es un personaje de historietas creado en 1938, un superhéroe que lucha contra el crimen y es casi invencible debido a su gran fuerza y habilidad. Pág. 17.

T

taciturno: alguien normalmente callado o reservado en la charla y la actitud. Pág. 34.

táctil: sentido del tacto. Pág. 28.

tambores medicinales: tambores usados por hombres primitivos para curar enfermedades expulsando los malos espíritus de una persona enferma. Pág. 30.

Tampa 6, Florida: puerto y destino turístico en Florida, estado en la zona sureste de Estados Unidos. El número 6 indica el código postal de la dirección. Pág. 73.

Teatro Guild: sala de eventos en Los Ángeles, California, donde L. Ronald Hubbard daba conferencias sobre el tema de la tecnología de Dianética aplicada a grupos. Pág. 76.

tecla del número siete: analogía hecha por LRH entre la mente reactiva y una computadora o una calculadora en las que el número siete se ha quedado atascado de modo que siempre se añade en todo cálculo. Por supuesto, no puede calcular correctamente ni obtener respuestas adecuadas mientras exista esta condición. Pág. 57.

terapia electroconvulsiva: "tratamiento" psiquiátrico de electrochoque, salvaje procedimiento en donde una corriente eléctrica se aplica a la persona a través de electrodos que se colocan en la cabeza. Causa convulsiones severas (sacudidas del cuerpo incontrolables) o ataques (inconsciencia e incapacidad para controlar los movimientos del cuerpo) y resulta en pérdida de la memoria y daño físico permanente, dejando a la persona emocionalmente como un vegetal. Pág. 105.

terapia hormonal: referido al tratamiento de enfermedades o padecimientos mediante la administración de hormonas. Las *hormonas* son sustancias químicas producidas por las glándulas o tejidos del cuerpo para regular el crecimiento y desarrollo, controlar la función de varios tejidos, apoyar las funciones reproductivas y regular el metabolismo (proceso mediante el cual los alimentos se descomponen para crear energía). Pág. 16.

término: palabra que expresa una idea, y que generalmente es propia de una actividad o disciplina determinada. Pág. 58.

términos: condiciones con las que se plantea un asunto o que se establecen en un contrato. Pág. 61.

terra incognita: área o región desconocida o inexplorada. El término es el latín para "tierra desconocida". Pág. 2.

Time: revista semanal norteamericana publicada por primera vez en 1923 en la ciudad de Nueva York, EE.UU. Pág. 41.

Times: referencia al *New York Times. Véase también **New York Times.** Pág. 54.

Tomorrow: revista que se concentraba en temas místicos y de *parapsicología,* estudio de fenómenos mentales como la hipnosis, la telepatía, etc., que no se comprenden en los campos científicos más tradicionales. *Tomorrow (Mañana)* se publicó entre 1942 y 1962. Pág. 54.

tono: estado o disposición mental particular; carácter o estado de ánimo. Pág. 89.

Topeka: ciudad al noreste del estado de Kansas, en el centro de Estados Unidos, y lugar donde se encuentra la Clínica Menninger, institución de salud mental fundada por la familia de psiquiatras norteamericanos Menninger. Pág. 106.

torbellino: gran cantidad de cosas que ocurren o se producen al mismo tiempo. Pág. 50.

trama: tema o historia principal de una obra dramática o literaria, como una pieza teatral, una novela o una historia corta. Pág. 22.

trance: estado semiconsciente, aparentemente entre el sueño y el despertar. Pág. 19.

trance amnésico: trance profundo de una persona como si estuviera durmiendo, y el cual la hace susceptible a recibir órdenes. *Amnésico* en este sentido se refiere al hecho de que la persona normalmente no recuerda lo que ocurrió durante el estado de trance profundo. Pág. 30.

tratado: escrito o discurso de una materia determinada. Pág. 72.

trauma: impresión fuerte, duradera y negativa. Pág. 2.

tribunal de instancia superior: tribunal en algunos estados de Estados Unidos que puede escuchar y decidir cualquier caso civil o criminal. En un principio, tales tribunales se establecieron a un nivel por encima de los tribunales inferiores que escuchaban y decidían sólo cierto tipo de casos. Pág. 116.

U

ulcera péptica: herida que se forma en el tejido del estómago o de los órganos adyacentes debida a la secreción excesiva de ácido digestivo, causando a veces dolor estomacal crónico. *Péptico* significa que pertenece o está asociado con la digestión. Pág. 20.

Unión de Libertades Civiles: la Unión Americana de Libertades Civiles (American Civil Liberties Union, ACLU), una organización fundada en 1920 con sede en la ciudad de Nueva York. Está dedicada a defender los derechos y libertades de la gente de Estados Unidos como se propone en su Constitución. Trabaja principalmente suministrando abogados y consejo legal a individuos y grupos en los tribunales locales, estatales y federales. Pág. 119.

Universidad de Komazawa: una de las más antiguas universidades de Japón. Se estableció en 1592 y está ubicada en la ciudad de Tokio. Pág. 79.

úvea: la capa central de las tres que componen el globo ocular que incluye el iris (parte coloreada del ojo), músculos y tejido alrededor del cristalino del ojo. Pág. 74.

uveítis: inflamación de la úvea. Véase también **úvea.** Pág. 73.

V

V-2: poderoso misil alemán de la Segunda Guerra Mundial (1939–1945), el primer cohete en superar la velocidad del sonido y precursor de los cohetes modernos. Pág. 41.

validación: confirmación oficial o aprobación de un procedimiento o actividad. Pág. 92.

Van: Alfred Elton van Vogt (1912–2000), escritor canadiense de ciencia ficción que empezó su larga carrera durante la Edad de Oro de la ciencia ficción (1939–1949). Estimado en el campo de la ciencia ficción, van Vogt fue galardonado con el Premio Grand Master de Escritores de Ciencia Ficción de América en 1995. Pág. 86.

védico: perteneciente a los *Vedas* o a los *Himnos Védicos,* el primer registro filosófico escrito. Son la literatura sagrada más antigua de los hindúes, con más de cien libros todavía en existencia. Tratan de la evolución, del hombre llegando a este universo y de la curva de la vida, que es nacimiento, crecimiento, degeneración y decadencia. La palabra *veda* significa conocimiento. Pág. 99.

Verne, Julio: (1828–1905) novelista francés y primer gran especialista de ciencia ficción. Anticipó los vuelos espaciales, los submarinos, los helicópteros, el aire acondicionado, los misiles teledirigidos y las películas cinematográficas mucho antes de que se desarrollaran. Pág. 58.

vestigio: 1. huella o señal que queda en un sitio a consecuencia de la presencia en él de cierta cosa o de cierto suceso, que sirve para conocer la presencia de estos. Pág. 100.
2. indicio que queda de algo que existió con anterioridad. Pág. 64.

viciado: que ha adquirido o hacer adquirir vicios o hábitos y costumbres negativos o perjudiciales. Pág. 16.

vituperio: acción o circunstancia que causa afrenta o deshonra. Pág. 43.

W

Western Union: importante compañía telegráfica norteamericana fundada en 1856. La *telegrafía* es un método de comunicación a larga distancia que en un principio transmitía mensajes en forma de impulsos eléctricos codificados a través de cables, actualmente los transmite por radio, satélite y otros métodos modernos de transmisión. Pág. 92.

Wichita: ciudad en Kansas (estado en el centro de Estados Unidos), ubicación de la Fundación de Dianética Hubbard en 1951 y 1952. Pág. 3.

Winchell, Walter: (1897–1972) famoso periodista y presentador norteamericano cuyas columnas periodísticas y emisiones radiofónicas de noticias le generaron una gran audiencia e influencia en Estados Unidos durante las décadas de 1930, 1940 y 1950. Pág. 49.

Winter, Dr.: un doctor que, a principios de la década de 1950 estaba involucrado en Dianética. Pág. 85.

Y

yoga: escuela de filosofía hindú que defiende y establece una serie de disciplinas físicas y mentales para lograr la liberación del mundo material y la unión del yo con un espíritu supremo. Pág. 59.

Z

zanjar: resolver o solucionar un asunto terminando con todas las dificultades o inconvenientes. Pág. 17.

ÍNDICE

E

LA COLECCIÓN DE
L. RONALD HUBBARD

"Para realmente conocer la vida", escribió L. Ronald Hubbard, "tienes que ser parte de la vida. Tienes que bajar y mirar, tienes que meterte en los rincones y grietas de la existencia. Tienes que mezclarte con toda clase y tipo de hombres antes de que puedas establecer finalmente lo que es el hombre".

A través de su largo y extraordinario viaje hasta la fundación de Dianética y Scientology, Ronald hizo precisamente eso. Desde su aventurera juventud en un turbulento Oeste Americano hasta su lejana travesía en la aún misteriosa Asia; desde sus dos décadas de búsqueda de la esencia misma de la vida hasta el triunfo de Dianética y Scientology, esas son las historias que se narran en las Publicaciones Biográficas de L. Ronald Hubbard.

Tomada de la colección de sus propios archivos, esta es la vida de Ronald como él mismo la vio. Cada número se enfoca en un campo específico y proporciona los hechos, las cifras, las anécdotas y fotografías de una vida como ninguna otra.

Aquí está la vida de un hombre que vivió por lo menos veinte vidas en el espacio de una.

PARA MÁS INFORMACIÓN, VISITA:
www.lronhubbard.org.mx

Para pedir ejemplares de *La Colección de L. Ronald Hubbard*
o para libros o conferencias de L. Ronald Hubbard
sobre Dianética y Scientology, contacta:

EE.UU. e Internacional

Bridge Publications, Inc.
5600 E. Olympic Blvd.
Commerce, California 90022 USA
www.bridgepub.com
Tel: (323) 888-6200
Número gratuito: 1-800-722-1733

Reino Unido y Europa

New Era Publications
International ApS
Smedeland 20
2600 Glostrup, Denmark
www.newerapublications.com
Tel: (45) 33 73 66 66
Número gratuito: 00-800-808-8-8008